O caminho imperfeito

Edição apoiada pela Direção-Geral do Livro,
dos Arquivos e das Bibliotecas / Portugal

Ilustrações de Hugo Makarov

O caminho imperfeito

José Luís Peixoto

Porto Alegre São Paulo · 2020

Copyright © 2017 José Luís Peixoto
Edição publicada mediante acordo com Literarische Agentur Mertin, Inh. Nicole Witt, Frankfurt, Alemanha

Revisado segundo o Novo Acordo Ortográfico da Língua Portuguesa.
Nos casos de dupla grafia, foi mantida a original.

CONSELHO EDITORIAL Gustavo Faraon e Rodrigo Rosp
CAPA E PROJETO GRÁFICO Luísa Zardo
PREPARAÇÃO E REVISÃO Rodrigo Rosp
FOTO DO AUTOR Patrícia Santos Pinto

Dados Internacionais de Catalogação na Publicação (CIP)

P431c   Peixoto, José Luís.
           O caminho imperfeito / José Luís Peixoto — Porto Alegre :
       Dublinense, 2020.
           192 p. ; 19 cm.

           ISBN: 978-85-8318-147-7

           1. Literatura Portuguesa. 2. Literatura de Viagem.
           3. Tailândia — Curiosidades. I. Título.

                                                           CDD 869.39

Catalogação na fonte: Ginamara de Oliveira Lima (CRB 10/1204)

Todos os direitos desta edição
reservados à Editora Dublinense Ltda.

EDITORIAL
Av. Augusto Meyer, 163 sala 605
Auxiliadora • Porto Alegre • RS
contato@dublinense.com.br

COMERCIAL
(11) 4329-2676
(51) 3024-0787
comercial@dublinense.com.br

O distante perde distância quando se vai lá. Os lugares mais longínquos são aqueles onde nunca se esteve.

Quando já se foi a um lugar, mesmo que seja preciso atravessar o planeta, fica a saber-se que é possível fazer esse caminho. Deixa de pertencer ao desconhecido sem detalhes, ganha formas imprevistas. Há vida lá como há vida aqui.

1

1

Numa das caixas de plástico, estava a cabeça de um bebé. Noutra caixa, estava o pé direito de uma criança, cortado em três partes. Havia ainda duas caixas com pedaços de pele tatuada e, na última, estava um coração humano.

As cinco caixas de plástico foram embaladas em três pacotes, deixados nos correios do Centro Comercial MBK, junto à Siam Square, e endereçados a três moradas de Las Vegas — Eugene Johnson, 3070 W Post Road; R. Jene, 2697 Ruthe Duarte Avenue; e Ryan Edward McPherson, 2913 Bernardo Lane.

Essas encomendas foram despachadas como "brinquedos para crianças", mas não chegaram a sair de Banguecoque.

2

Os olhos do pássaro eram dois pontos cravados no negro absoluto — como se existisse uma noite enorme por detrás deles, como se aqueles pequenos pontos fossem a única comunicação entre este mundo e essa noite infinita.

No interior da gaiola, o pássaro não tinha para onde fugir do medo — todos os seus instintos estavam contrariados, a sua experiência não lhe dava garantias do que ia acontecer.

Eu segurava a gaiola com as duas mãos, era de madeira leve. O seu peso continha o próprio pássaro — gramas de pânico. À volta, tudo era muito mais pesado — os blocos de pedra do templo Wat Traimit, muros de pedra, degraus de pedra que chegavam lá a cima, ao altar do Buda de Ouro, *Phra Maha Suwan Phuttha Patimakon*, a maior estátua de ouro maciço do mundo, cinco toneladas e meia.

Até o ar era pesado — espesso, húmido, quente como sopa, como *tom yam* picante, erva-príncipe —, até o céu era pesado. O fumo do incenso subia ao céu, misturava-se com ele, tingia-o. Banguecoque inteira subia ao céu — avenidas cheias de trânsito, milhões de vozes. O templo Wat Traimit fica na Chinatown, no centro de um labirinto. A única saída, parecia-me, era o céu.

Abri a porta da gaiola. O pássaro encolheu-se durante alguns instantes, com medo do firmamento, conhecendo o seu tamanho melhor do que eu. E, de repente, saiu disparado. Não deu tempo ao Makarov de tirar a fotografia.

A meu pedido, o Makarov estava de máquina preparada para registar o instante em que eu soltasse o pássaro — libertador vaidoso de pássaros —, mas esse segundo passou demasiado depressa. Apenas conseguimos levantar o pescoço e vê-lo desaparecer.

No budismo tailandês, a ideia de *karma* deu origem à ideia de fazer mérito. A ideia de fazer mérito deu origem à libertação de pássaros. A libertação de pássaros gera positividade que, mais tarde, regressará ao seu autor.

A lógica é deturpada quando se sabe que, antes, esses

pássaros eram livres. Foram capturados e presos apenas com o propósito de serem vendidos — cem *bahts* — e soltos.

Mas, naquele momento, eu não pensava nisso.

3

Ainda sou capaz de sentir o cheiro da loja do senhor Heliodoro. Subia o degrau e dava um passo no seu interior — artigos para toda a família, empilhados no chão, arrumados em prateleiras, suspensos do teto por cordéis, expostos em vitrinas de vidro que o senhor Heliodoro abria com uma chave. A loja cheirava à mistura de muitas peças novas, às suas cores — rolos de tecido que media com um metro de madeira, baldes, vassouras, esfregões de palha de aço, brinquedos no Natal, tubos de cola, tesouras, calçadeiras, atacadores, formas de bolos. A pouco e pouco, as mulheres compravam o enxoval das filhas na loja do senhor Heliodoro.

Eu tinha menos de doze anos — a idade do meu filho mais novo —, chegava com algumas moedas, talvez com uma nota de vinte escudos, subia o degrau e dava um passo no seu interior. O senhor Heliodoro sabia que era guardião de um vasto tesouro. Acertava os óculos na cara e, desinteressado, contava os trocos que eu pousava no balcão. Esse era dinheiro que tinha guardado de visitas a casa da minha madrinha, que ela selecionava com solenidade do porta-moedas.

Demorava a escolher uma gaiola — testava as molas da porta, comparava as cores. Poucos dias depois, aquelas grades de plástico estariam ocupadas por um grilo apanhado nos campos à volta da carpintaria do meu pai, ao longo da estrada do campo da bola.

Em tardes enormes de primavera ou verão, demorava-me a observar esses animais — as antenas, a cabeça redonda, brilhante, e o relevo das asas, esculpido com padrões. Dava-lhes folhas de alface e limpava-lhes a gaiola onde, um dia, apareciam mortos.

4

O coração tinha a marca de uma facada. O pé tinha sido cortado horizontalmente em três partes. A cabeça do bebé tinha os olhos fechados, como se o tivessem contrariado antes de adormecer. Num dos quadrados de pele estavam tatuados símbolos mágicos e budistas — chamados *sak yant*—, no outro estava um tigre.

Não foi possível identificar a quem pertenceram os restos humanos encontrados nas caixas, estavam submersos em formalina há demasiado tempo. O jornal *The Nation*, de 17 de novembro de 2014, segunda-feira, referia que, com muita probabilidade, foram roubados do museu médico do Hospital Siriraj, em Banguecoque — o maior e mais antigo hospital do país.

A polícia afirmou que a cabeça, o pé, o coração e os retângulos de pele tatuada foram comprados no mercado Khlong Thom. Por seu lado, os suspeitos declararam que, quando encontraram aqueles pedaços de corpo humano, estavam a passear de tuk-tuk num lugar que esqueceram; então, por brincadeira, decidiram enviá-los para amigos nos Estados Unidos, só para assustá-los.

Quando tinham vinte e poucos anos, os dois suspeitos criaram, produziram e realizaram os vídeos *Bumfights*. Ryan Edward McPherson e Daniel Tanner tornaram-se conhecidos na internet por terem filmado, na Califórnia e em Las Vegas, uma série de quatro filmes com pessoas sem-abrigo. Em troca de dinheiro, álcool ou comida, esses sem-abrigo lutam entre si ou fazem acrobacias que, invariavelmente, acabam mal.

Ruffus Hannah e Donnie Brennan eram sem-abrigo, alcoólicos e amigos. Protagonizaram algumas das cenas mais conhecidas dos quatro filmes da série *Bumfights*. Durante as filmagens, Hannah bateu em Brennan com tanta violência que este partiu uma perna em dois pontos e precisou de intervenção cirúrgica. Hannah, por sua vez, sofre de epilepsia devido à sua prestação nestes vídeos, que incluiu atirar-se por escadarias num carro de supermercado ou, repetidamente, lançar-se de cabeça contra paredes e portas de metal. Também foram pagos para fazer tatuagens. Hannah tatuou a palavra "Bumfights" nos dedos, Brennan tatuou-a na testa. Em média, os homens receberam dez dólares por cada uma dessas "façanhas".

Outras cenas dos filmes, com outros protagonistas, incluíam viciados a apanharem pedras de *crack* em lugares de difícil acesso, perigosos, ou a incendiarem os próprios cabelos, ou a arrancarem os próprios dentes.

Em 2003, surgiu um pouco habitual gangue de jovens brancos, de famílias da classe média, chamado 311 Boyz que, influenciados por esses vídeos, começaram a perseguir os sem-abrigo de Las Vegas e a filmá-los. Esse gangue chegou a ter cerca de cento e quarenta membros.

Após um processo em tribunal, os produtores de *Bumfights* foram condenados a pagar a Hannah e a Brennan uma quantia em dinheiro. Esse valor nunca foi tornado público, mas supõe-se que tenha sido considerável, uma vez que os vídeos proporcionaram muitos milhões de dólares em vendas.

Na Tailândia, o interrogatório foi sempre acompanhado por um representante da embaixada dos Estados Unidos. Os dois suspeitos foram colocados em liberdade, com a garantia de que regressariam para mais averiguações na semana seguinte.

No momento em que escrevo, o seu paradeiro é desconhecido.

5

Farang é a palavra que os tailandeses usam para se referir aos estrangeiros ocidentais brancos.

Há mais de quatrocentos anos, mercadores portugueses levaram as primeiras goiabas para a Tailândia. Entre muitas outras hipóteses, essa é uma das origens prováveis de chamar-se *farang* aos estrangeiros brancos. Em tailandês, goiaba diz-se *farang*.

Às vezes, entre sons, é possível distinguir as sílabas de *farang*. Acompanhada por prefixos, sufixos ou outras palavras, é usada também como parte dos nomes de produtos que chegaram pelas mãos dos estrangeiros brancos — batata diz-se *man farang*; pastilha diz-se *mak farang*; coentro diz-se *phak chi farang*. Aos turistas ocidentais brancos de baixos recursos — sandálias e mochila —, os tailandeses chamam *farang khi nok*, que significa literalmente *farang--cocó-de-pássaro*.

6

Os turistas estavam cortados ao meio — geometria de pernas articuladas —, as suas vozes chegavam lá de fora. Eram vozes enrouquecidas pela espessura daquele azul — perdiam ainda mais o sentido que, lá, junto às bocas, também não tinham. Eu sabia que as palavras dos turistas eram apenas um ruído de sílabas, não possuíam significado.

Mas a minha respiração cobria todos os sons — era o motor da fábrica que produz o mundo. Eu inspirava e expirava, segurava o bocal do tubo com os dentes, sentia essa borracha colada às gengivas. Debaixo da superfície vítrea que cortava turistas ao meio — pernas alongadas por barbatanas amarelas, fatos de banho garridos, coletes salva-vidas incandescentes —, a água era atravessada por poalhas lentas. Eu pairava através desses pontos brilhantes, desordenava-os com os meus movimentos.

O casco do barco era um planeta. Os peixes eram trânsito. Agrupados por cores ou independentes, tinham lugar para onde ir, seguiam por caminhos que só eles conheciam. Eu deslizava sobre algas e corais, como se sobrevoasse uma cidade. O sal queimava-me a pele, o sol confortava-a.

Senti um toque no ombro. Era o Makarov.

Agora, não recordo exatamente o que queria. Apenas lembro um cardume branco de bolhas de ar a envolvê-lo, uma certa urgência e os seus olhos a tentarem falar.

7

Estendíamos as toalhas de praia sobre a carroçaria de uma

camioneta acidentada. Era sol de julho — recebíamo-lo com todo o corpo.

Num dos lados, o pátio enorme — pilhas desordenadas de troncos, uma colina de serradura mais alta do que o telhado da carpintaria, montes de ripas imperfeitas e restos de madeira, o chão coberto por cascas de pinheiro. No outro lado, a horta estendida na distância — árvores carregadas de fruta, retângulos verdes, rama à altura da cintura, dos joelhos, rente ao chão —, o cheiro da terra.

Deitados nas toalhas, talvez tivéssemos os olhos fechados — o sol a forçar luz através das pálpebras —, ou talvez assistíssemos ao céu — o sem-fim atravessado por uma réstia de nuvem, de véu ou de espectro, por pombos exatos, por brisas cheias de vagar.

O piso da carroçaria era feito de madeira mole, desgastado por todo o tipo de carregos, remendado com tábuas escuras ou claras. Eu admirava-me com as conversas dos filhos do sócio do meu pai e dos amigos deles — todos mais velhos do que eu —, mas nunca demonstrava espanto.

Recordo o tamanho dessas tardes.

Sobre o muro do tanque, de repente, eu dava um salto no ar. Lembro esse instante antes de cair na água, ainda seco, parado debaixo do sol de julho — teria nove ou dez anos. Sei que o tanque era pouco fundo.

A água ficava boa quando começava a esverdear. No início do verão, em vários fins de tarde, não se repunha a água das regas — deixava-se correr à farta pelos sulcos —; depois, quando o tanque já estava quase vazio, esfregavam-se os limos das paredes e, durante uma noite, deixava-se a torneira aberta. Essa água cristalina era gelada. Só ficava de boa temperatura quando começava a esverdear.

Se tinha fome, ia descalço pela terra e escolhia um pêssego maduro da árvore. O sumo escorria-me pelos braços, pingava-me pelos cotovelos — limpava a boca às mãos e mergulhava. Aprendi a nadar nesse tanque de rega.

Eu nadava com os olhos abertos debaixo de água.

Depois, deitava-me na toalha de praia, na carroçaria da camioneta acidentada, com a água esverdeada a secar-me no corpo, sob o mês de julho, sob os sons avulsos do campo e o uivo desesperado das máquinas que, ao longe, serravam madeira.

8

De madrugada, quando começava a nascer o perfume nos arranjos florais, o autocarro passou por vários hotéis de Krabi a recolher aquele grupo de desconhecidos.

O italiano falava inglês. Ainda todos se estavam a habituar à velocidade do barco, ao som dos motores, à própria deslocação, e já o italiano estava agarrado ao toldo — empoleirado num lugar que não nos seria permitido, numa posição que não seríamos capazes de manter.

Tinha as piadas decoradas — as pausas, os tons com que pronunciava certas frases. Os turistas eram bem-comportados, escutavam as informações de segurança com seriedade e riam-se das piadas. Podiam levantar-se para tirar fotografias? Podiam, mas com muito cuidado.

Havia o mar. Os turistas demoraram cinco minutos a cansar-se de tirar fotografias a essa cor. Então, o barco transformou-se numa sala de espera.

Cobertos pelo toldo, estávamos sentados em quadrado, uns virados para os outros. Todos evitavam cruzar olhares. Os motores do barco não permitiam conversas.

Eu não tinha relógio. Depois de longos pensamentos e horizonte, começámos a aproximarmo-nos de uma ilha — um enorme rochedo no meio do mar. As escarpas eram abruptas, estavam ali desde o princípio dos tempos, moldadas por séculos indelicados, cobertas por vegetação corajosa — raízes cravadas na pedra, verde que combinava bem com o azul-turquesa. Devagar, o barco entrou por um caminho estreito e — espanto — ficámos rodeados de ilha. Era aí que íamos mergulhar.

O piloto tailandês encontrou um espaço entre as dezenas de barcos — brancos e rápidos, como o nosso; ou mais tradicionais, de madeira; ou com vários pisos e centenas de turistas.

O italiano começou a explicar como usar as barbatanas, os coletes salva-vidas, os óculos, os tubos de respiração. Exemplificou e testou detalhadamente o uso desses objetos em duas espanholas que viajavam sozinhas.

As mulheres da família indiana de várias gerações não tiraram os saris e ficaram no barco, a falarem ao longe para os homens e as crianças. Os casais inseparáveis entraram na água ao mesmo tempo.

As barbatanas eram amarelas.

Quando regressámos ao barco, o italiano obrigou-nos a todos — um a um — a dizermos que tínhamos gostado.

Não sei quanto tempo demorámos a chegar à praia das ilhas Phi Phi — baía Ton Sai —, como disse, não tinha relógio. O Makarov e eu ficámos sentados na areia a olhar para as multidões que entravam na água entre fileiras de barcos atracados.

No regresso, os turistas tinham o penteado desfeito, as camisolas enxovalhadas. Quase todos os olhares se dirigiam para os riscos brancos dos motores na água. Então, de repente, houve um instante em que o céu e o mar mudaram de cor.

As gotas de chuva eram grossas e frias. O barco parecia tentar fugir à tempestade, mas sem sorte. A chuva vinha de todos os lados, o toldo era inútil. Os turistas, desgraçados, tapavam a cabeça e as costas com toalhas. Os casais inseparáveis agarravam-se uns aos outros — náufragos do apocalipse.

Eu punha bastante empenho em diferenciar-me dos turistas e, por isso, estava muito divertido. Acreditava que tinha uma missão mais elevada. Estava ali para escrever um livro — este livro —, não por mero lazer. Eu estava divertido porque não estava ali para me divertir, como eles.

9

Era um animal negro, com uns cornos enormes. Reparei no primeiro cartaz, mas só pensei nele quando passámos pelo segundo. Também nesse caso, a fotografia do animal estava rodeada de texto — extensos encadeamentos de caracteres tailandeses. Na berma daquela estrada dos arredores de Chiang Mai, e até onde a vista alcançava, os campos eram férteis de verde — arbustos com folhas de várias idades, ervas, superfícies de plantações compactas, rodeadas por nenhuma cerca.

E passámos pelo terceiro cartaz — esse bicho parecia assustado, um olho mais aberto do que o outro, meio assustado. Como nos primeiros, também a imagem era demasiado crua, caseira, recortada com uma tesoura.

No banco da frente, Sudarat parecia descansar na monotonia daquele silêncio. Eu via-lhe os olhos refletidos no espelho retrovisor — as sobrancelhas arranjadas. Perguntei-lhe o que significavam os cartazes. Ela não percebeu logo. Quais cartazes?

Aqueles que tinham bois negros, possantes, de grandes cornos arcados.
Não eram bois, eram búfalos, eram búfalos-d'água.
Tratava-se de campanhas para fazer mérito, para acumular créditos de *karma*. Os cartazes anunciavam coletas públicas de dinheiro para comprar búfalos e poupar-lhes a vida.
Regressámos ao silêncio.
Isso significa que há pessoas que ficam a tomar conta desses búfalos até que eles morram de velhos? — queria ter a certeza.
Sim, há — respondeu Sudarat.

10

Na lista de países que mais visitaram a Tailândia em 2016, os primeiros *farangs* surgem em sétimo lugar — os russos, 1.089.992. Há seis nacionalidades asiáticas antes deles. Os chineses foram os estrangeiros que mais visitaram o país nesse ano — 8.757.466 chineses.
Em 2016, a Tailândia recebeu 32.588.303 turistas estrangeiros — trinta e dois milhões, quinhentos e oitenta e oito mil, trezentos e três.

11

Eu estava sentado num banco de plástico na *soi* 20 da Silom Road. Multidões esfregavam-se nas minhas costas — mulheres carregadas com sacos, crianças de uniforme, homens a empurrarem carros de mão. Àquela hora ainda se transpirava. A noite espreitava-nos por cima dos fios elétricos que ziguezagueavam no céu da *soi*, esforçando-se por cobri-la com a luz anémica de lâmpadas aleatórias e quase fundidas.

E tudo fazia barulho — os caixotes de fruta, as cores, as mulheres rodeadas por molhos de verdura, as mulheres a estenderem a mão para receberem uma nota velha com a imagem do rei, os cães a farejarem sombras.

Do outro lado da Silom Road há um templo hindu — Sri Mariamman. Entre mim e o templo havia o trânsito parado da Silom Road — duas faixas para cada lado. Mesmo assim, os cânticos dos altifalantes atravessavam essa distância e cobriam todos os pontos onde restasse algum sossego.

No entanto — é difícil explicar —, todas as pessoas que estavam na *soi* 20 — eu incluído — atravessavam esse barulho — não as incomodava, porque faziam parte dele.

Em Banguecoque, as grandes avenidas, como é o caso da Silom Road, são cruzadas por vias perpendiculares, chamadas "*soi*", e que são numeradas. Na pequena *soi* 20 da Silom Road, entre muita oferta, fica o primeiro lugar onde comi quando fui à Tailândia pela primeira vez.

Não sei se é o melhor, não sou capaz de compará-lo com outros. Tinha chegado num voo matinal de Macau e, por acaso, estava hospedado a menos de um quarteirão. Saí à procura de qualquer lugar e encontrei aquele — indistinto de milhares.

Quando estou em Banguecoque, gosto de ir lá pelo menos uma vez. Reconheço o rapaz que serve às três mesas, a avó pesada que faz as contas e recebe o dinheiro. Eles não me reconhecem a mim.

O Makarov aceitou as minhas sugestões. O rapaz trouxe a *tom kha kai*, a salada de papaia verde, o *gaeng daeng* e o arroz branco, cozido no vapor. A mesa de ferro, a luz mínima, o rugido da cidade e os aromas de cada um daqueles pratos — o coco do *tom kha kai*, o jasmim do arroz. Enquanto o Makarov tirava algum *gaeng daeng* — caril vermelho — para o seu pequeno prato, eu servi alguma sopa *tom kha kai* para a minha tigela.

Então, em silêncio, levei uma colher à boca. Tinha o sabor de uma felicidade simples, antiga, vinda de um tempo subitamente verdadeiro. Levei outra colher à boca. Era uma felicidade que emanava de uma origem ilimitada. Era uma alegria sem esforço.

12

O Renault do meu cunhado estava no seu melhor vermelho. Era impossível imaginar que, daí a alguns anos, ganharia um ruço melancólico. Esse tom esbatido haveria de desencorajar-nos um pouco, lembrar-nos a inevitável passagem do tempo, mas ali, naquela hora, era impossível imaginá-lo — nem mesmo naquele parque de estacionamento mal iluminado, sob o peso da noite e a sombra redundante das árvores.

Os corredores do Centro Comercial Fonte Nova esbanjavam luz e entusiasmo. As vitrinas das lojas apresentavam assunto para exame detalhado e debate. O meu cunhado — de mãos atrás das costas —, a minha irmã e eu caminhávamos sem pressa. Recordo detalhes. Aquele seria um serão com direito a programa completo — passeio, jantar, cinema. Tínhamos acabado de chegar, o melhor esperava-nos.

Lisboa apresentava a grande diferença da sua e da minha idade — era quase o fim dos anos oitenta, talvez eu tivesse catorze anos. Durante meses, sonhava com a cidade e, depois, recebia-a em pequenas doses quando ia com os meus pais à Baixa — sapatarias, lojas de ferragens — ou com a minha irmã mais velha, em noites como aquela.

Essa foi a primeira vez que fui a um restaurante de comida chinesa.

As minhas irmãs já conheciam e, em dias anteriores, ao contar-me, exageravam no exotismo do arroz chau-chau. O agridoce impressionava-as.

Nunca tinha visto chineses ao vivo. Reparava nos empregados, na maneira como pronunciavam as palavras e, depois, nos nomes estranhos da ementa.

Não me lembro do que escolhi. Parecia que estávamos na China, acreditava eu. Isto é molho de soja — disse a minha irmã. Quando ia para pôr um pouco, a garrafa abriu-se e, sem querer, o prato ficou coberto de molho de soja. A minha irmã e o meu cunhado tentaram ajudar, mas não havia maneira, e, sem gosto, fiquei a escolher comida naquele prato negro.

13

Em 1913, o rei Rama VI fez passar uma lei que obrigava todos os cidadãos a terem sobrenome. Antes disso, era frequente ter-se apenas nome próprio.

Os sobrenomes tailandeses têm um limite de caracteres determinado por lei — dez. Muitas vezes, no entanto, esses caracteres dizem respeito a sílabas e, quando transcritos em alfabeto latino, dão lugar a palavras com muito mais letras. As famílias de origem chinesa, todavia, têm sobrenomes mais longos porque correspondem à transcrição em tailandês dos significados desses nomes.

Há uma variedade invulgar de nomes e de sobrenomes. Valoriza-se que cada núcleo familiar e indivíduo possuam um nome original. Calcula-se que 81% dos sobrenomes e 35% dos nomes próprios sejam únicos.

Tal abundância favorece o uso generalizado de alcunhas. Não há limites para essa criatividade. Entre as mais comuns, encontram-se as alcunhas que se referem à aparência do bebé — pequeno, grande, etc. —, a cores — vermelho, verde, azul, etc. —, a animais — gato, sapo, porco, formiga, caranguejo, etc. —, a palavras inglesas — beer, milk, cake, etc. —, a marcas de carros — Fiat, Ford, Benz.

Habitualmente, os nomes e as alcunhas não variam consoante o género, tanto podem ser utilizados por mulheres como por homens.

Na Tailândia, há um número muito elevado de pedidos para mudança de nome. Há a crença de que mudar de nome resolve casos extremos de má sorte.

14

O barqueiro virou-se para mim e começou a mexer-me no braço. As águas do rio Ping eram castanhas, refletiam as copas das árvores, criavam um mundo de árvores ao contrário. O barqueiro agarrava-me o braço com as duas mãos, analisava-me a pele entre a pressão suave dos seus polegares. Então, tirou a camisola.

Era claro o respeito do rio pela cidade de Chiang Mai. Nenhuma brisa tocava nesse espelho e, assim, o rio mantinha-se atento a toda a cidade que ali chegava — casas de madeira, edifícios, templos, trânsito nas pontes.

O barqueiro orgulhava-se da tatuagem de um dragão que lhe cobria o ombro. Espetava o queixo no peito para vê-la e, circunspecto, dava-me tempo para analisá-la. O seu cabelo comprido era muito liso, o seu bigode era de poucos pelos. Sobre um lado do peito, tinha a tatuagem de uma carpa. Ao mostrá-la, apontava para o rio. *River, river* — dizia.

Demonstrei que gostava e ele, ainda em tronco nu, deu-me duas palmadas secas no braço, sobre as minhas tatuagens. Assim, demonstrou também que gostava.

Isto aconteceu quando estive na Tailândia pela segunda vez. Anos mais tarde, quando fui com o Makarov — dois braços completamente tatuados —, aconteceu com muito mais frequência.

15

A senhora Krod comprou as salsichas no mercado de satuek, na província de buriran. Eram salsichas frescas que, no sistema imperial, mediam cerca de um pé — trinta centímetros, no sistema métrico.

Ao jantar, a família estava a apreciar as salsichas. A senhora Krod grelhou-as e era também ela que estava a servi-las. Foi quando estava a cortar a terceira que, com a ponta da faca, sentiu algo mais duro. Remexeu um pouco e, entre a carne picada, distinguiu os olhos e o focinho.

O nome completo da senhora é Krod Yotchomrang. No dia 18 de março de 2013, tinha cinquenta e dois anos, era casada, tinha filhos.

Continuou a analisar e reparou no pelo. A família alarmou-se e quase vomitaram o que já tinham comido.

Dentro da salsicha, estava um gatinho bebé quase inteiro.

16

Todos os anos, milhares de pessoas chegam ao templo Wat Bang Phra, a cerca de uma hora de Banguecoque, para participar no festival Sak Yant Wai Khru.

Durante dois dias, há homens a esperarem horas para serem tatuados por monges com uma varinha de metal bem afiada. Ajudantes esticam-lhes a pele com dedos de unhas compridas e tentam consolá-los na sua dor lancinante, amparam-nos se estiverem à beira de desmaiar. As ventoinhas, ansiosas, apontam a sua atenção de um lado para o outro, como se chegassem sempre atrasadas.

A recompensa está depois do sofrimento. As tatuagens *sak yant* possuem uma longa história, que remonta ao império Khmer. Conta-se que as flechas faziam ricochete na pele de quem tinha essas tatuagens. Hoje, depois de séculos, ainda é essa a proteção que todos procuram. Para além das imagens geométricas — bênçãos sagradas que oferecem fortuna, carisma ou poder —, é também comum tatuar-se criaturas mitológicas ou animais — tigres, leões, elefantes, macacos, javalis, tartarugas, serpentes, enguias, etc. Entre estes, os animais que se tatuam com mais frequência são os tigres.

Na manhã do segundo dia do festival, há uma voz distorcida por altifalantes amolgados, repete mantras sem parar, mistura-se com o rumor de milhares de homens sentados no chão, diante do templo. Em intervalos aleatórios, distinguem-se urros, gritos descontrolados. Há rapazes súbitos, que se levantam no meio da multidão, formam ângulos improváveis com os braços e com as pernas, têm o rosto amarrotado numa careta. Então, lançam-se a correr na direção do altar até serem agarrados por militares, polícias ou seguranças voluntários, que tentam acalmá-los e trazê-los à consciência.

Ao meditarem, esses homens são abalados por espasmos e, gradualmente, chegam ao *kong kuen* — um estado de transe em que são possuídos pelo espírito do animal que trazem tatuado na pele. Os que têm tatuagens de serpentes rastejam no chão; os que têm elefantes tornam-se pesados e ameaçadores; os que têm macacos tatuados dão saltos, lançam gritos estridentes; os que têm tigres encaracolam os dedos em forma de garras, mostram os dentes, rosnam e, indomáveis, avançam a correr na direção do altar do templo.

17

Nas ruas de Banguecoque há milhares de gatos. Em tailandês-inglês, chamam-lhes *soi cats*. Sabe-se que há cerca de trezentos mil *soi dogs* em Banguecoque, não se sabe exatamente quantos gatos existem.

Nos recantos de qualquer mercado, nas traseiras de qualquer restaurante, nas margens do rio, em becos, há sempre gatos sem dono. Nos templos, não faltam gatos de múltiplas gerações — é proibido tirar qualquer vida nesse espaço.

Há várias raças de gatos que tiveram origem na Tailândia. Estima-se que os siameses advêm da cidade real de Ayutthaya. Os gatos estendem-se no cimento, cobertos por todos os barulhos da cidade, pela espessura húmida do calor. Por detrás das pálpebras, agarram-se a um lugar mais justo.

18

À saída do templo Wat Pho, o trânsito. Dei meia dúzia de passos na direção de um rapaz e de um grelhador. Pedi duas espetadas.

Não precisei de esperar. Cioso das brasas, o rapaz demorou apenas alguns instantes — dois palitos de bambu entre o polegar e o indicador. Destapou uma panela de molho picante e perguntou-me se queria — *you want?*

Respondi que sim — pensei que ia salpicar as espetadas.

Em vez disso, mergulhou-as completamente na panela cheia de picante, deixou-as absorver durante segundos e estendeu-mas.

19

O jantar da família Yotchomrang foi subitamente interrompido. Apesar desse contratempo, a senhora Krod guardou o corpo mutilado do gatinho, lavou-o e, no dia seguinte, fez-lhe um altar — uma almofada alta, um naperon de linha cor-de-rosa e vermelha e, por fim, um pano branco. Em cima desse pano dobrado e limpo, pousou o gato bebé — mirrado, sem orelhas, com olhos calcinados e boca aberta, paralisada num miau infeliz.

A senhora Krod e a sua família foram os primeiros a fazerem orações ao gatinho morto e a queimarem paus de incenso em sua honra. A seguir, vieram os vizinhos. Depois, começaram a chegar desconhecidos — gente que nunca tinha sido vista por aquele bairro de Satuek.

Foi então que, ao apostarem no número cinquenta e dois — a idade da senhora Krod —, vários desses crentes começaram a ganhar algum dinheiro na lotaria.

Segundo o *Bangkok Post*, as autoridades de Saúde Pública iniciaram uma investigação. Pretendiam averiguar se os fabricantes locais de salsichas frescas tinham misturado de propósito carne de gato com porco ou se foi um acidente raro e, por absoluta falta de sorte, o gatinho caiu na máquina de fazer salsichas.

Os resultados dessa investigação foram inconclusivos.

20

Em cantos opostos, nos intervalos entre *rounds*, colocavam-se bancos velhos de pau para os lutadores. Esses bancos eram pousados dentro de uma grande tina de alumínio. Os lutadores respiravam sôfregos. Enquanto o mestre lhes gritava para o centro do rosto, havia um homem que mergulhava um pano num balde de água e lho passava pelos músculos do peito, pelo pescoço ou pelo rosto ensanguentado. Quando soava o sino para recomeçar o combate, os bancos eram retirados à pressa. A tina era puxada com cuidado para não entornar a mistura de água, sangue e suor.

E recomeçava a *sarama* — música tradicional que é tocada sem parar durante os combates de *muay thai*. O *pi java* é uma espécie de corneta, fonte de uma nota contínua que ia evoluindo, subindo e descendo — serpentina a desenrolar-se, a contorcer-se no ar, sem se interromper nunca, como se o músico não precisasse de respirar. O *mong kong* e os *klog kaak* são tambores. Os *ching* são pequenos pratos metálicos.

Os primeiros golpes depois dos intervalos — murros, joelhadas, pontapés — sacudiam a água nos corpos dos lutadores — faziam com que deslizasse na pele oleada, atiravam-na em jorros. Algumas dessas gotas chegavam à segunda fila e acertavam-me. O Estádio Ratchadamnoen estava cheio de homens — bancadas com milhares de homens. Durante as lutas, gritavam um emaranhado de vozes, como um rugido de tempestade. Durante os intervalos, gritavam ainda mais, agitavam os braços e acenavam números com os dedos — apostavam com urgência. Os lutadores eram jovens. Depois dos rituais, depois de honrarem os mestres passados e presentes, depois do entusiasmo dos primeiros *rounds*, o combate aproximava-se do fim quando as pernas lhes começavam a tremer, quando caíam com mais facilidade. Os últimos pontapés e murros eram acompanhados pelo coro dos homens que assistiam, como se esses golpes acertassem em toda a multidão.

Os pontapés eram sempre de canela contra canela — osso contra osso. O árbitro escolhia os momentos em que os separava, protegia com zelo aquele que caísse.

Apesar dos gritos, parecia que tudo acontecia dentro de mim — era uma inquietação minha, um nervosismo que me mantinha alerta. Talvez o Estádio Ratchadamnoen estivesse em silêncio, talvez aquela multidão fosse um enxame que revoava no meu interior — os tambores a serem o meu coração demasiado rápido, a estridência da corneta a entontecer-me e, sem descanso, aqueles corpos magros, de músculos tensos, a agredirem-se dentro de mim em choques secos.

O Estádio Ratchadamnoen fica no centro de Banguecoque, não muito longe do Grande Palácio e do templo Wat Pho. Depois de vários combates seguidos, quando o

Makarov e eu chegámos à rua, estávamos com fome. Entrámos no restaurante da porta ao lado e comemos frango assado, como em Portugal.

21

Os rapazes sopravam baforadas de fumo de encontro à luz do projetor. As cadeiras de pau davam mau conforto.

As imagens nasciam na mecânica do projetor, atravessavam o fumo — jatos furtivos ou um corpo de fumo estagnado na penumbra do salão da Sociedade Filarmónica — e esbarravam de frente com o lençol. Eu e todos alternávamos posições nas cadeiras, ficávamos suspensos nessas imagens, sobretudo quando o Bruce Lee tinha de dar uma lição a algum que estava mesmo a pedi-las, ou quando se juntavam vários para apanhar o Bruce Lee à traição, ou quando, por fim, o Bruce Lee acertava contas com todos os que o tinham afrontado ao longo daquelas duas horas.

Após essas matinés, ficávamos a inventar golpes de *kung fu* no passeio, em frente à Sociedade. Era sempre sábado e primavera, ninguém se magoava.

Ao escrever estas palavras, tenho a sensação de que já as escrevi antes e, só agora, percebo que sempre me faltou dizer que, nos dias de semana, na escola, nas ruas, tudo era diferente.

Eu ficava com a cara quente e vermelha — o sangue aquecia —, cerrava os dentes, começava a respirar fundo e depressa. Era conhecido por não chorar. Não tenho memória de alguma vez ter feito parte dos mais velhos. Eu era sempre o mais novo. Quase todos os rapazes da minha idade tinham irmãos mais velhos, primos, vizinhos. Sobrava eu, com duas irmãs mais velhas que, para isso, não tinham préstimo.

O pátio da escola era feito de areia. Havia um muro de rapazes à minha volta, tinham vozes e olhos para atiçar a briga, estavam divertidos. Eu não sabia como sair dali, arrojava os joelhos e os cotovelos na areia, tinha a camisa fora das calças.

Na rua, os outros ficavam ao longe — só tinham olhos —, não chegavam a aproximar-se. Eu era empurrado de encontro a uma parede e, ao ser puxado, quando sentia a camisola a alargar, lembrava-me da minha mãe — iria ralhar comigo quando desse pela malha da camisola naquele estado.

Ainda hoje, passados tantos anos, sinto que estas palavras são fraqueza minha. O meu instinto é ficar calado, como me mandavam.

Recentemente, um otorrino analisou-me o desvio do septo nasal e informou-me que, na infância ou na adolescência, parti o nariz por duas vezes. Soube agora que, quando aconteceu, não dei conta dessas fraturas, achei a dor normal, não disse a ninguém, deixei cicatrizar.

22

Foi professor de inglês em Nakhon Ratchasima durante sete anos. Contou-me que um colega tailandês o convidou a visitar a sua aldeia, no interior da província. Era uma casa humilde, de madeira, rodeada por árvores de folhas largas.

O canadiano — esqueci o nome — fazia paragens na história para chupar minúcias em patas de lagostins. Os carros, as motas e os tuk-tuks iluminavam-lhe o rosto por momentos. Tinha acabado de chegar a Banguecoque, meteu conversa comigo quando ficámos sentados em mesas contíguas, num passeio, na zona de Patpong.

Àquela hora, com aquela falta de luz, pareceu-me que teria uns cinquenta anos, talvez mais ou menos. Queria conversar e explicou-me que a mulher e as filhas estavam a dormir no hotel — cansadas por uma viagem de várias escalas desde Toronto —, mas ele não aguentou e teve de vir para a rua. No Canadá, tinha ansiado por aquele trânsito, aquele ar — grosso, morno, meloso. Não vinha à Ásia desde que dera aulas de inglês em Nakhon Ratchasima — solteiro, sem filhas. Guardara a Tailândia dentro de si durante anos. Aquela era a viagem para mostrar à família tudo o que tinha falado.

A história que me contava era desse tempo — jovem professor. Repetiu que o colega tailandês o convidou para passar uma semana na casa dos pais, na sua aldeia.

Às vezes, levantava o olhar na direção da mulher que ajeitava algo num grelhador, mas continuava logo a seguir.

Dormia numa esteira, no chão, ao lado de toda a família, sob uma ventoinha elétrica que viravam apenas para ele. Comia da mesma panela, com o mesmo picante. Sentava-se no alpendre a olhar para as tardes. E, um dia, de repente, o colega abordou-o, muito envergonhado, e pediu-lhe desculpa pelo comportamento dos pais, pelo mau ambiente. Descreveu-lhe a desavença dos pais e, de cabeça baixa, pediu-lhe muitas desculpas.

Mas ele não se tinha apercebido de nada. Aos seus olhos, os pais do colega falavam normalmente um com o outro, serenos, descontraídos. A partir daí, começou a prestar atenção, mas continuou sem reconhecer qualquer traço de discórdia.

De lábios gordurosos, ainda sem entendê-los, olhava para longe, como se ainda os visse no alpendre, sorridentes, a despedirem-se.

23

Sudarat explicou-me que irritação significa fraqueza, impaciência significa falta de controlo. É muito difícil encontrar um tailandês que levante a voz.

Críticas públicas são vergonhosas e insuportáveis. Faz falta prestar atenção aos sinais menos óbvios. Um sorriso pode significar embaraço, pode ser uma fuga.

O confronto aberto deve ser evitado ao máximo. Uns não o provocam e, se acontecer por acidente, os outros não o aceitam. Ninguém discorda de ninguém. À vista, o desacordo não existe. Tudo é preferível a uma disputa.

Deve ter-se cuidado para não colocar questões que deixem o outro sem saída. Não ter resposta é uma humilhação, uma perda de face.

Como noutros países asiáticos, perder a face é uma desonra irreversível. Cuidado com aquele que cair nesse desespero, não tem mais nada a perder.

Mas os tailandeses preferem a mentira ao conflito? — perguntei.

Sudarat sorriu.

24

Possuíam órgãos completos e independentes, mas tinham os fígados fundidos, aparentando um só. Além disso, tinham os esternos ligados por cartilagem.

A mãe chamava-se Nok e era meio chinesa, meio malaia. O pai — pescador — era tailandês de origem chinesa. Essa ascendência fez com que fossem conhecidos na sua região por "gémeos chineses".

Em 1829, um mercador escocês que vivia em Banguecoque viu-os nadar — quatro pernas a bater, um braço de cada lado a bater, dois braços estendidos diante das cabeças. Os pais aceitaram o dinheiro.

Quando chegaram aos Estados Unidos, numa exposição de curiosidades bizarras, passaram a ser conhecidos por "gémeos siameses" — deram origem a essa expressão. Chang e Eng tinham nascido a 11 de maio de 1811, na província de Samutsong, perto de Banguecoque, no reino do Sião.

Ao terminarem contrato com o mercador escocês, livres de obrigações, estabeleceram-se por conta própria e prosperaram. Em 1839, cansados de itinerância, adquiriram um terreno com mais de quarenta hectares na Carolina do Norte e decidiram fixar-se. Compraram trinta e três escravos para trabalhar nas suas plantações.

A 13 de abril de 1843, casaram-se com as irmãs Yates — Chang casou-se com Adelaide, Eng casou-se com Sarah, um ano mais velha do que Adelaide.

Na cama de quatro pessoas, os irmãos dormiam no meio, as irmãs dormiam nas pontas. Chang e Adelaide tiveram doze filhos, Eng e Sarah tiveram dez.

Ao fim de anos de convivência tão próxima, as irmãs desentenderam-se e, na companhia da respetiva prole, foram viver para casas e cidades diferentes. Chang e Eng alternavam três dias com uma e três dias com outra.

A guerra civil foi desastrosa para os irmãos — apoiaram a Confederação e perderam quase tudo. Falidos, precisaram de voltar a expor-se em feiras de curiosidades, mas não tiveram o sucesso que esperavam.

Chang começou a beber — o seu alcoolismo não afetava Eng porque não partilhavam o sistema circulatório. Em 1870, Chang teve um ataque cardíaco. Mais tarde, adquiriu e desenvolveu um caso grave de bronquite. Eng continuava de boa saúde.

Chang morreu durante o sono a 17 de janeiro de 1874. Assim que Eng acordou e deu pelo irmão sem vida, soube que faltava pouco para morrer também. Um médico chegou a tentar a cirurgia de separação, mas Eng faleceu três horas depois do irmão. Os fígados fundidos dos gémeos Chang e Eng estão expostos no Museu Mütter, em Filadélfia — os bilhetes para adultos custam dezoito dólares.

25

Plaek Phibunsongkhram — o ditador do regime militar de inspiração fascista, que governou a Tailândia em dois períodos, 1938-1944 e 1948-1957 — criou um decreto que encorajava os tailandeses a beijarem as suas mulheres de manhã, antes de saírem para o trabalho.

O nacionalismo racista de Phibun — como hoje é chamado — era frontalmente contra a influência chinesa. Uma das formas de exercer esse repúdio passava pela adoção de costumes ocidentais.

O primeiro dia do ano passou a ser o dia 1 de janeiro. Antes, considerava-se que os anos começavam a 13 de abril — o Songkran. Atualmente, celebram-se as duas datas.

Foi também nessa época que se incentivou a população a usar calças, camisas, casacos, gravatas — homens — e saias, blusas, luvas, chapéus — mulheres. Fizeram-se grandes campanhas a favor do calçado.

Em 1939, acabado de chegar ao poder, Phibun mudou o nome do país. São passou a chamar-se Tailândia— aliada da Alemanha nazi, da Itália fascista e do Japão imperial.

26

Os peixes, viscosos, a revirarem-se num alguidar de alumínio sem água, a tentarem ir a algum lugar, mas a não saírem dali — peixes do rio, cabeçudos e barbudos, negros e brilhantes, a tentarem ir a algum lugar, a usarem as últimas forças da sua vida, mas apenas a conseguirem criar um efeito visual.

Levantei a cabeça — seis e meia da manhã num mercado dos arredores de Chiang Rai. Havia abundância. Notava-se bem que tinham sido aquelas pessoas, ou a família daquelas pessoas, que produziram aqueles géneros — cultivaram aquelas verduras, colheram aquelas frutas, criaram ou caçaram aqueles animais, pescaram aqueles peixes, cozinharam aquelas comidas. Algumas dessas pessoas — quase só mulheres — ainda estavam a cozinhar. Tinham bicos de fogão instalados diretamente em botijas de gás — óleo a ferver em frigideiras.

Como exemplo, uma dessas bancas: duas abóboras, três cachos grandes de bananas, um monte de vagens, dois pratos com folhas, um alguidar cheio de garrafas de plástico com líquido branco, um prato com quatro peixes, várias travessas com uma espécie de cobras, uma travessa com dois bichos de focinho afiado, esfolados e limpos de tripas — quero acreditar que eram furões.

As vozes misturavam-se com aquela hora azul.

Metódica, sem parar, a mulher repetia movimentos

— escolhia um quadrado de folha de bananeira, pousava a mão cheia de arroz preto no centro, colocava-lhe um cubo de doce ao lado, dobrava a folha e fechava-a com um palito de bambu. Atirou a minha nota de vinte *bahts* para uma lata e deu-me o troco. O arroz preto era menos doce do que eu esperava.

Encostados ao estacionamento de dezenas de motoretas, como se formassem a fronteira do mercado, filas de monges noviços — crianças e adolescentes de várias idades e alturas —, descalços na terra, em silêncio, sérios, imóveis, seguravam recipientes diante do peito, à espera de ofertas.

Passámos por eles com um saco de vinte quilos de arroz, levámo-lo para o carro.

Sessenta quilómetros pode ser perto ou longe. O Makarov e a Sudarat passaram o caminho inteiro a conversar. Agora, sou capaz de compor o som das suas vozes a falarem em inglês, mas não creio que se trate de uma memória. Não recordo o que disseram, creio que não os ouvi. Ao longo dessa viagem, fixei-me na paisagem e nos meus pensamentos — verde sobre verde.

Nas colinas do Triângulo Dourado, no distrito rural de Mae Chan, no extremo norte da Tailândia, o templo Wat Pra Archa Tong é conhecido pelos cavalos. Os monges cuidam de duzentos, usam-nos para circular pelas colinas da região.

Todas as manhãs, montados neles, descem à entrada do templo para receber as ofertas.

Ainda antes de chegarem, deixámos o saco de arroz com um funcionário do templo. Como as pessoas que chegaram antes de nós, comprei um dos cabazes que estavam à venda num balcão de madeira. Com diversos preços e tamanhos, uns tinham produtos de higiene — escovas e pastas de dentes, detergente para a roupa, sabonetes — e outros tinham alimentos. Havia também maçarocas de milho para os cavalos.

Sentia-se o início da manhã. Comprei um cabaz de preço médio, com alimentos. Sudarat sabia que eu ia escrever um livro e, por isso, não se admirou quando quis abrir o cabaz e tirei notas no meu bloco acerca de todos os produtos — quatro embalagens de massa, duas sopas de vegetais para aquecer no micro-ondas, dois pacotes de leite de soja, duas garrafas de sumo de laranja e duas garrafas de água.

Voltei a fechar o cabaz e fiquei à espera dos monges.

27

Tongdaeng foi uma cadela que morreu a 26 de dezembro de 2015. Pertenceu ao rei Bhumibol Adulyadej — Rama IX —, que a adotou em 1998, tendo sido encontrada na ninhada de uma cadela vadia, de uma *soi dog*.

Todos os nomes de cães do rei começam por *tong*, que significa "ouro".

O rei demonstrou um especial afeto público para com Tongdaeng desde o primeiro momento e, em 2002, publicou uma biografia do animal com oitenta e quatro páginas, chamada *A história de Tongdaeng*. Os cem mil exemplares da primeira edição esgotaram-se imediatamente. Desde então, o livro já foi reimpresso muitas vezes, sendo um presente habitual na Tailândia. Muitos leem essa obra como uma parábola política e social.

Pode ler-se nessas páginas: "Embora a pessoa que a trouxe lhe tenha dado leite e biscoitos, ela não parou de choramingar, mesmo quando lhe pegaram ao colo para a acalmar. No entanto, quando foi apresentada a Sua Majestade, parou imediatamente de queixar-se e foi aninhar-se no seu colo, como se lhe confiasse a sua vida, e adormeceu livre de preocupações". Pode ler-se também: "Ao encontrar o rei, outros cães mostram a sua euforia saltando-lhe para o colo. Tongdaeng nunca faz isso. Fica sempre abaixo dele. Mesmo quando o rei a abraça, ela encolhe-se no chão, com as orelhas baixas, de forma respeitosa, como que dizendo: não me atrevo, não é próprio".

Em 2006, saiu uma coleção de selos com Tongdaeng.

Em 2015, pouco antes da sua morte, foi estreado um filme de animação chamado *Khung Tongdaeng: a inspiração*.

Thanakorn Siripaiboon é o nome do operário fabril que foi preso pelo crime de lesa-majestade, depois de ter publicado comentários pouco abonatórios de Tongdaeng no *Facebook*. Não se sabe quais as palavras exatas que usou, uma vez que este tipo de julgamentos é feito à porta fechada e a imprensa não pode difundir a informação do processo, pois entende-se que essa seria uma forma de repetir o crime de lesa-majestade. Sabe-se que a acusação pediu trinta e sete anos de prisão.

Alguns exemplos de condenações por crimes de lesa-majestade:

Em 2011, Yossawarit Chuklom foi sentenciado a três anos de prisão por, durante um discurso, ter feito um gesto, sugerindo que estavam a amordaçá-lo, que não podia falar mais porque não o deixavam.

Em 2014, o taxista Yuthasak Kangwanwongsakul recebeu cinco anos de prisão por ter tido uma conversa sobre a monarquia tailandesa com um passageiro, que o denunciou.

Em 2014, Opas Chansuksai foi condenado a três anos de prisão por ter escrito frases sobre a família real na parede da casa de banho de um centro comercial.

Em 2015, Pongsak Sriboonpeng publicou seis fotografias no *Facebook* com comentários críticos em relação à família real. Teve punição de dez anos de prisão por cada fotografia, sessenta anos.

Insultar a família real pode resultar em penas pesadas, que serão reduzidas para metade se houver confissão de culpa. No entanto, a lei não esclarece completamente o que entende por insultos.

Na Universidade Thammasat, em Banguecoque, foi levada à cena uma peça de teatro chamada *A noiva raposa*, passada num reino imaginário, com um rei implacável e conselheiros corruptos. Depois de serem vistos excertos da peça no *YouTube*, houve uma queixa que levou à condenação do ator que fazia o papel de rei, assim como do encenador — cinco anos de prisão. Outros membros do elenco foram para o exílio.

Por sua vez, o académico Sulak Sivaraksa foi julgado por comentários que fez acerca do rei Naresuan, que morreu em 1605.

Na edição internacional do *New York Times*, a notícia acerca do operário que difamou a cadela do rei foi ocupada por colunas em branco, com as seguintes palavras: "O artigo deste espaço foi removido pela nossa tipografia na Tailândia. O *New York Times* e os seus editores não têm nenhuma responsabilidade na sua remoção".

28

Nas fotografias, é uma menina — rosto sereno, sorriso delicado. Sunanda Kumariratana era rainha consorte do rei Rama V, era também sua meia-irmã. Ambos eram filhos do rei Rama IV, mas tinham mães diferentes. As outras duas esposas do rei eram suas irmãs de pai e de mãe.

Em maio de 1860, virou-se o pequeno barco a remos onde a rainha Sunanda e a sua filha bebé seguiam para o palácio Bang Pa-in, em Ayutthaya. As duas morreram afogadas.

Muitas pessoas testemunharam esse acidente, mas ninguém se atreveu a salvá-las porque tocar na rainha ou na princesa seria uma ofensa capital.

29

Os cegos estavam sentados no chão, em fila indiana, encaixados. Havia grupos acústicos e com gerador elétrico — microfone, guitarra elétrica, teclado no colo. Uns e outros competiam com todo o barulho do mercado, grande parte dos vendedores usava amplificação para repetir longos discursos nasais.

A tarde terminava sobre o mercado de domingo de Chiang Mai — lâmpadas iluminavam o lusco-fusco. Os turistas contornavam os grupos musicais de cegos e recebiam nos olhos a voz dos vendedores — oração monocórdica.

Das cores do mundo, existiam ali as mais vivas — os cores-de-rosa, os laranjas, os amarelos. Doces e gasosos, os perfumes levantavam-se dos objetos, subiam aos céus ainda claros. O ar começava a ficar mais fresco.

Então, de repente, uma voz estendeu um anúncio sóbrio e, logo a seguir, o hino nacional começou a soar nos altifalantes. O mercado ficou em silêncio imediato. Todas as pessoas — cegos, vendedores, turistas a olharem para todos os lados — ficaram de pé, paradas, com os braços estendidos ao longo do corpo. O hino era cantado por um coro que parecia antigo ou, então, eram os altifalantes — amolgados e enferrujados no topo de postes — que o envelheciam. O mundo inteiro estava parado. Apenas uma brisa de fim de tarde, indiferente àquele pacto de estátuas, agitava as roupas nos cabides — lenços de senhora, como bandeiras.

O hino terminou. Os tailandeses fizeram vénias uns aos outros, os turistas acharam piada.

30

Depois de marcharmos pelas ruas, parávamos diante da Junta de Freguesia. Acertávamos a formação. O mestre e os homens que vinham atrás de nós — mãos nos bolsos e passada de qualquer maneira — apressavam-se a cumprimentar os homens da Junta que nos esperavam nos degraus.

Era o tempo das laranjas. Nas árvores do jardim, brilhavam como planetas ácidos, entre folhas verdes ou negras. Àquela hora, os beliscões dos mais velhos ardiam nas orelhas geladas. As fardas eram muito frescas — mais apropriadas para as festas de agosto, para os coretos ao domingo em agosto — e, por isso, o mestre pedia às mães para nos vestirem um casaquinho de malha cinzenta.

O mestre virava-se para nós. Os homens da Junta e os nossos acompanhantes — tesoureiros e vogais da direção da Sociedade — perfilavam-se, tesos, de casaco passado a ferro, risco ao lado feito com pentes que traziam no bolso da camisa — encostados a uma nota nova de quinhentos escudos, arrumada para se distinguir na transparência da fazenda.

Os primeiros acordes do hino nacional estavam à altura da solenidade do momento. Tínhamos ensaiado aquela música no salão da Sociedade Filarmónica, sentados nas mesmas cadeiras de pau das matinés de cinema. Eu conhecia o hino da televisão, da hora em que acabava a emissão e a minha mãe, estremunhada, acordava no sofá — ai, que horas são isto? — e me obrigava a ir para a cama.

Nessas alvoradas, era 25 de abril, 10 de junho, 5 de outubro ou 1 de dezembro.

O meu saxofone e eu fazíamos parte daquela melodia enorme. Bombardinos, trompas, clarinetes e até o quase silêncio da flauta transversal — todos contribuíam com algo para aquele corpo. O bombo era o coração. Os trompetes abriam a manhã. Como se os movimentos dos braços o erguessem, quase a levantar voo, o mestre punha-se em bicos de pés. Às vezes, eu levantava os olhos até à bandeira — heroica ou não, dependendo da brisa.

Quando terminávamos o hino, o público não resistia à passagem súbita do tudo para o nada. Aplaudia efusivamente para lidar com essa emoção.

Eu inclinava o saxofone para entornar a saliva que se acumulava no seu interior.

No salão nobre da Junta, ficávamos à volta de uma mesa posta — pratos com bolinhos de coco em formas de papel, fatias de pão de ló, sandes de fiambre cortadas ao meio. Havia garrafas de laranjada e copos de vidro. Como na linha de partida de uma corrida, estávamos preparados. Tínhamos ordem para comer apenas depois de o presidente da Junta tocar na comida.

Bastava que lhe tocasse com a ponta do dedo mindinho.

31

Havia um monge que rapava as cabeças dos outros. Punha-lhes sabão para a barba na cabeça e passava a lâmina devagar — tinha muito tempo. Ali, quase nos montes Doi Sudep, a cidade parecia distante. À sombra de árvores muito altas — céu de árvores —, os galos passeavam sobre estatuetas partidas de Buda e raízes cinzentas, entre ramos de plantas novas que despontavam em intervalos de pedras — pedaços de Buda em posição de lótus, sem tronco, ou sem braços, ou sem cabeça, com musgo.

A grande maioria dos rapazes tailandeses são ordenados monges durante um par de meses ou, mais raramente, durante um par de anos. Ainda crianças — monges noviços — ou mais velhos, antes de casar, passam pelo rigor monástico. Essa é a sua forma de agradecer a educação que receberam e de criar mérito para os pais — sobretudo para as mães, uma vez que não há monjas budistas na Tailândia e, assim, não podem produzir esse mérito para si próprias.

O budismo é uma prática.

O cabelo era guardado numa bandeja, sobre um pano da cor dos hábitos — laranja-castanho. Aquele que tinha o cabelo a ser rapado — adulto ou criança — ficava com as mãos diante do peito, juntas, como se orasse. As sobrancelhas eram rapadas com a mesma lâmina.

Lá ao fundo, um monge sozinho varria folhas. Talvez não estivesse ali. Ou, melhor, talvez estivesse ali apenas para mim, que o olhava. Para ele próprio, com muita probabilidade, estava no interior dos seus pensamentos, ou daquele ritmo longo com que varria, ou da sua respiração.

A sombra das árvores refrescava o ar, o verde limpava-o. Respirava-se com leveza no templo Wat Umong.

De certa forma, escrever "templo wat" é uma redundância — templo templo. Em detalhe, no entanto, um *wat* não é apenas um templo. É um recinto sagrado, do qual fazem parte várias estruturas ligadas ao culto e à educação religiosa — da biblioteca onde se guardam os textos budistas à torre do tambor, passando pela Chaidei, com forma cónica, contendo relíquias de Buda.

A denominação de *wat* é determinada pelo Estado através da Wisungkhamasima real, que é o reconhecimento oficial da legitimidade dos espaços religiosos. Na Tailândia, há mais de trinta e oito mil templos com essa autenticação.

"*Wat*" deriva de "*vatta*", que significa "de acordo com os costumes" em pali — o idioma sagrado do budismo teravada, aquele que se segue na Tailândia.

No Wat Umong há uma réplica de um dos Pilares de Asoca — erguidos na Índia pelo imperador Asoca no século III. Essa réplica tem mais dez séculos do que o original, pertence ao período em que se declarou o budismo como religião de Estado na Tailândia.

Hoje, não há religião de Estado no país. No entanto, a legislação determina que o rei tem obrigatoriamente de ser budista, da escola teravada.

A manhã — silêncio. Os galos passavam à volta da réplica dos Pilares de Asoca. Não sei para onde iam.

32

Assim que chegou ao poder, o ditador Phibun ordenou que se escrevesse uma nova letra para o hino nacional. A seguir, decretou que, todos os dias, se fizesse ouvir o hino às oito da manhã e às seis da tarde, e que a população deveria permanecer em reverência durante esse período.

Ainda hoje, a essas horas, todos os dias, esse mesmo hino é tocado na rádio, na televisão, em altifalantes de edifícios públicos, estações de comboios, metropolitano, autocarros e outros espaços onde haja muita gente. As pessoas ficam paradas em silêncio e em respeito.

"A Tailândia pertence aos tailandeses" é o segundo verso da letra do hino nacional.

33

O Makarov desenhava sob a luz dos travões dos carros — tinha o caderno aberto no colo. Após pouco mais de duas semanas na Tailândia, estava quase a terminar o primeiro caderno. Noutras horas, nas mesas de restaurantes, as empregadas juntavam-se atrás dos seus ombros, a olhar para os desenhos — chamavam colegas para verem também e se admirarem em conjunto.

No trânsito parado, não havia público. Os condutores de motos e de tuk-tuks podiam passar rente aos vidros, mas não olhavam para o interior do nosso táxi cor-de-rosa, olhavam apenas para onde se dirigiam — esse era o seu único pensamento. Nós estávamos esquecidos do número da *soi* da Sukhumvit Road que tínhamos dito ao taxista. Nós estávamos ali, naquele instante — o Makarov concentrado no seu desenho de gestos largos, eu a olhar para a quantidade de amuletos pendurados no espelho retrovisor por fitas de pano.

Ao entrar no táxi, apreciei o descanso súbito. O calor espesso da rua transformou-se em ar fino e condicionado, o barulho da rua transformou-se em sons domésticos de uma pequena televisão sobre o tablier, o cheiro a fumo e a óleo queimado de várias faixas de carros parados transformou-se em perfume de detergente — alfazema ou jasmim artificial.

Eram amuletos com imagens de monges e agitavam-se por instantes quando o táxi avançava alguns metros. Durante esses segundos, o Makarov levantava a mão do desenho. O taxista também tinha amuletos ao pescoço — número ímpar —, apareciam-lhe entre botões desapertados da camisa. No teto do carro, havia uma composição de palavras em alfabeto tailandês e *yantras* — geometrias divinas feitas pelo dedo indicador de um monge mergulhado em tinta branca.

Ao lado da televisão, havia pequenas estatuetas de Buda — plástico dourado. Um pouco abaixo, uma fileira de moedas coladas ao tablier — o rei, de óculos. Passámos por um altar, à esquerda, no passeio. O taxista pousou a lata de bebida energética e saudou-o com um *wai*.

Éramos três homens num carro. O taxista virou-se para o banco de trás e estendeu-me uma folha plastificada — *you like lady?* Era uma fotografia de dezenas de raparigas em biquíni, alinhadas por tamanho, muito pálidas, a sorrir. Mostrei ao Makarov. *You like ladyboy?* — estendeu-me outra folha plastificada, com raparigas igualmente elegantes, também em biquíni, também alinhadas, também a sorrir.

Devolvi as folhas e voltámos ao silêncio.

A televisão estava por detrás do volante, ligeiramente desviada à direita — o filme americano competia com a realidade do para-brisas. Continuávamos rodeados de carros parados, em Banguecoque. No filme, uma perseguição — carros a alta velocidade, a esbarrarem em tudo e a escaparem por pouco nas avenidas de uma cidade americana.

34

Comprei um amuleto no templo Wat Pra Archa Tong, enquanto esperava que chegassem os monges a cavalo para receberem as ofertas. É uma cápsula de vidro com uma pequena porção de pelo de tigre. Havia cápsulas semelhantes, com despojos de outros animais e pedaços de casca de certas árvores. Cada um desses amuletos prometia benefícios específicos ao seu portador.

Desde então que o trago ao pescoço. Estou a usá-lo neste momento.

35

Talvez erradamente, prefiro escrever "*ladyboy*" a "*kathoey*".

"Ladyboy" não é um termo do inglês padrão, pertence ao inglês internacional, criado por gente de origens diversas que tenta aproximar-se num idioma comum. Na Tailândia do turismo, esse inglês tem existência própria. Quem chegue com chapéu de coco e não saia do inglês rígido de Oxford terá tanta dificuldade em fazer-se entender como quem fale outra língua qualquer — *I beg your pardon?* Ao mesmo tempo, parece-me que a palavra "*ladyboy*" junta duas formas benévolas de designar feminino e masculino. Parece-me que "*lady*" tem boa intenção, "boy" também.

Já "*kathoey*" — apesar de ser o termo que a maioria dos tailandeses usa — não é aquele que as próprias preferem para se referir a si. Em vez disso, utilizam "*phuying*"

— que significa "mulher" —, ou *"phuying praphet song"* — que significa "um segundo tipo de mulher". Assim, quando se diz "*kathoey*", está sempre a fazer-se uma distinção — alguém que não pertence ao "nós". Na sua origem khmer, "*kathoey*" significa "diferente". Segundo o budismo conservador, as *kathoey* nasceram deformadas devido aos pecados que cometeram em vidas anteriores.

Nos Estados Unidos, cerca de um em cada dois mil e quinhentos indivíduos que nasceram como homens vivem como mulheres. Na Tailândia, são um em cada cento e sessenta e cinco. Yollada Suanyot foi a primeira transgénero tailandesa a ser eleita para um cargo político. Noutras áreas, há outros exemplos. No entanto, a falta de aceitação dos empregadores acaba por atirá-las para atividades tradicionalmente femininas. Quando não há lojas de cosméticos a contratar empregadas, a diversão para adultos e a prostituição têm sempre as portas abertas.

Nas telenovelas e nas comédias da televisão, as *ladyboys* são uma personagem-tipo — gestos exagerados, demasiada maquilhagem, figura grotesca.

De cabelo curto e calças, os *tomboys* são menos falados, menos apresentados como "ícone" exótico, mas estão igualmente presentes na sociedade. Os preconceitos que desafiam são comparáveis, mas suponho que se prestem menos à caricatura, talvez porque custe mais ridicularizar aquilo que se apresenta como forte, talvez porque a negação da feminidade gere um tabu maior.

Habitualmente, os *tomboys* — ou apenas *toms* — relacionam-se com as *dees*. Estas, tendo nascido mulheres, preferem os *toms* e optam por uma postura de acordo com todos os estereótipos tradicionalmente femininos.

Há ainda os *toms* que se sentem atraídos por outros *toms*, por *dees* e por mulheres heterossexuais — estes são chamados "*tom gays*". Há os *adams* — homens atraídos por *toms*. Há as *angee* — *ladyboys* que desejam *toms*. Há as *samyaan* — mulheres interessadas por quem for biologicamente feminino, qualquer que seja a sua identidade. Há os *boats* — homens também interessados por quem for biologicamente feminino, qualquer que seja a sua identidade.

No entanto, na Tailândia, as preferências sexuais pertencem à esfera privada e, por isso, a identidade de género assumida publicamente nem sempre corresponde às práticas íntimas de cada um.

36

As árvores que tinham um pano atado ao tronco estavam habitadas por um espírito e não podiam ser cortadas.

Kwan saltava de um passo para o outro. Os seus pés não faziam estalar ramos, não esmagavam ervas, não deslizavam na terra, acertavam em pontos justos. Seguindo-a e tentando imitá-la, eu pousava o pé um pouco mais à frente ou um pouco mais atrás, tropeçava, dava pontapés em pedras, pisava lama.

De repente, Kwan parava porque queria mostrar-me uma folha. Segurava-a com a ponta dos dedos, dava-ma a cheirar.

Eu dizia que sim, concordava com qualquer coisa que talvez nem tivesse escutado. Mais provável seria que estivesse absorto nos olhos dela, a falarem em silêncio, ou nos seus lábios a moldarem uma língua sem erres, sem pês, sem consoantes ofensivas. Kwan era uma mulher de sapatos rasos, com uma mochila pequena às costas, com menos de quarenta anos — trinta e sete, trinta e oito — e com umas calças douradas.

Sabia muito sobre a selva, sobre veredas, árvores altas e bambu. Queria que eu visse aquelas minhocas enormes, certos detalhes, mas entendia bem que, durante momentos, eu quisesse ficar para trás, sozinho, rodeado, como se absorvesse o verde pelos olhos, a sombra pelos poros, o fresco, o musgo. Nesses instantes, era como se eu tivesse vivido sempre ali, como se pertencesse ali, como se fosse capaz de entender completamente os ramos lá em cima, entrançados, os contornos das folhas desenhados pelo céu e pela luz, como se fosse capaz de entender as raízes que sulcavam a escuridão subterrânea numa procura desvairada e que, às vezes, vinham à superfície, achando talvez que a terra não lhes chegava.

Quando apressava o passo para ir ao seu encontro, Kwan estava ao virar da curva, sentada numa pedra, à minha espera. Olhava-me com compreensão.

As aves lançavam cantos graves e agudos para medir a distância.

Assim que chegámos à cascata, Kwan desapareceu. A força da água de encontro à rocha, água e rocha a terem o mesmo peso, a serem feitas pelo mesmo deus avassalador, a carregarem o mesmo apocalipse, abrindo a terra até ao seu centro, rasgando-a. E no meu peito, também aberto, a certeza de que, até ali, tudo tinha sido silêncio. Aquela era a voz da própria terra.

37

As bolas de pingue-pongue que a mulher disparava com a vagina batiam na parede com toda a força, perto da minha cabeça. Eu tentava segurar as muitas mãos da *ladyboy*.

Os seus dedos deslizavam-me no pescoço ou abriam-me um botão da camisa. Em biquíni, a *ladyboy* sentava-se às vezes no meu colo, eu sentia-lhe o hálito no rosto, sorria às piscadelas das suas pestanas postiças.

As bolas de pingue-pongue pareciam ovos a sair da vagina da mulher. Deitada no balcão, apoiada sobre os ombros e os pés, completamente nua, fazia pontaria na minha direção e disparava bolas como tiros. Era incentivada por outra, também nua, também em cima do balcão, de pé, que gritava ao microfone e carregava um balde de plástico onde estava escrito "*tips*".

Eu era o único cliente do bar. As atenções de todas as mulheres estavam sobre mim. À entrada, aquela *ladyboy* foi a primeira que me agarrou e, por isso, as outras apenas me olhavam ao longe, com uma certa repugnância. Ela, pelo contrário, estava muito interessada em mim, parecia que me tinha esperado por muito tempo e, finalmente, a sua vida mudara. Para compensar essa dedicação, comprei-lhe uma bebida azul.

O bar era sujo e escuro — sombras e fumo velho. A *ladyboy* e eu ficámos sentados num sofá de forro áspero — o pó colava-se à pele. Uma jovem desinteressada chegou com um tabuleiro para saber o que queríamos beber. O *show* começou no balcão, acompanhado por música insuportável e pela voz de estridência inconstante da apresentadora do microfone e do balde. A artista fumou pela vagina, disparou dardos que rebentaram balões, apagou uma vela, carregou pesos, etc. No fim de cada número, a colega agitava o balde na minha direção e gritava ao microfone, cada vez mais agastada. Mas não era isso que tinha combinado; então, não dei essa gorjeta obrigatória e a mulher começou a atacar-me com bolas de pingue-pongue.

Numa esquina de Patpong, o que combinei com o homem que me mostrou a lista dos *live sexy shows* foi que apenas pagava o que consumisse. Perguntei-lhe várias vezes se tinha a certeza, garantiu-me que sim. Onde estaria esse homem?

Era a primeira vez que estava em Banguecoque. Dias antes, em Macau, portugueses tinham-me aconselhado a assistir a um *ping-pong show*. O livro que comprei logo no aeroporto avisa-me para não o fazer. No entanto, na última noite, melancólico, acabei por não resistir — erro.

Mais previdente do que eu, um jovem casal deu um passo no interior do bar, olhou em volta e quis logo sair. O segurança, no entanto, ficou parado à sua frente. Várias mulheres em biquíni avançaram na direção do casal, envolveram-no com lamentos. O homem começou a ficar nervoso, a mulher também. Nessa confusão, pousei uma nota na mesa, não me despedi da *ladyboy*, fintei esse grupo de gente e saí.

38

A mulher estava nua com um relógio de pulso. Eu tinha catorze anos, talvez. Havia uma música de órgão eletrónico — eco fantasmagórico, *vibrato* —, era uma música líquida. Os movimentos da mulher ondulavam, lentos, como se estivesse no interior de um aquário. Os outros rapazes tinham a minha idade ou eram mais velhos, havia também homens casados, pais de alguém. Num pequeno palco circular, com um fundo de fitas, a mulher deitou-se de costas, levantou os pés e ficou com o rabo espetado e aberto para o público. Tinha dois cigarros na mão — um apagado e outro aceso. Delicada, enfiou o filtro do cigarro apagado na vagina. Sacudiu a cinza do que estava aceso e acendeu também o primeiro. Durante esse instante, a música transformou-se em silêncio. A brasa avivou-se, preciosa, e o fumo saiu abundantemente.

Os rapazes e os homens que já estavam a fumar imitaram a vagina e, com gosto, sopraram uma porção de fumo. Outros não resistiram e tiveram de acender um cigarro.

Nessa época, eu passava muito tempo na Sociedade Filarmónica. Jogava matraquilhos, jogava bilhar ou, com mais frequência, sem dinheiro, via os outros a jogar. Ia aos ensaios da banda, folheava jornais antigos, abandonados sobre mesas gastas por peças de dominó, sentava-me a ver televisão ou, quando havia cinema, comprava bilhete e assistia a todos os filmes.

O homem do cinema conduzia pelas ruas muito devagar. Um megafone no tejadilho repetia o título e o horário. Poucos eram os filmes recentes, mais habituais eram as películas muito rodadas — tempestade de riscos sobre atores impávidos.

Nesse serão, ninguém se atrasou. Já todos tínhamos ouvido falar naquele nome — Emmanuelle —, conhecíamos a lenda.

Em filmes como esse, todos os rapazes faziam um silêncio especial, de boca aberta. Arregalavam os olhos até ao momento em que os semicerravam, a coçarem-se desenfreados através dos bolsos do fato de treino.

As cadeiras de pau eram firmes, não rangiam.

Mais tarde, durante muitos meses, havíamos de recordar as cenas desse filme em noites longas do largo do terreiro. Então, nos lábios daqueles rostos crestados, nos gestos das suas mãos grosseiras, aquele nome ganhava uma obscenidade adicional — Emmanuelle.

A cena do cigarro era sempre a que todos mais gostavam de recordar.

39

O médico afirmou ao *Bangkok Post* que o senhor Attaporn estava a recuperar bem — com boa atitude — e que tinha passado o dia a dar entrevistas na sua cama de hospital.

As sanitas tradicionais na Tailândia são de estilo turco — um buraco ao nível do chão, com espaço para colocar um pé de cada lado. Nessa divisão, é comum que exista uma torneira, com um pequeno balde ou recipiente para lançar água sobre a sanita depois de usar.

Na Tailândia, há aproximadamente duzentos tipos de cobras terrestres, cerca de vinte são mortais. Por ano, em todo o país, à volta de sete mil pessoas são mordidas por cobras, das quais morrem trinta, mais ou menos.

O senhor Attaporn Boonmakchuay estava de cócoras na sanita da sua casa, quando saiu uma cobra pitão do buraco e lhe mordeu o pénis.

Era de manhã, antes de ir para o trabalho. Alertada pelos gritos de agonia do marido, a mulher atou uma corda à volta do animal. Após muita resistência, foi o próprio senhor Attaporn que, antes de desmaiar, lhe conseguiu abrir as mandíbulas e libertar-se.

Os jornais tailandeses publicaram imagens das paredes ensanguentadas da casa de banho. Presume-se que a cobra tenha entrado na canalização através de uma fossa. A sanita foi desmontada para se extrair a pitão de três metros, que foi devolvida à natureza.

O senhor Attaporn demonstrou a intenção de fazer obras e instalar uma sanita de estilo ocidental.

40

Pelo meio de troncos, como um segredo, voltámos a ver a aldeia de Mae Kampong — superfície de telhados irregulares, enterrados no fundo de um vale, entre duas encostas de verde denso. A natureza engolia Mae Kampong ou, então, era Mae Kampong que se afundava na natureza.

Kwan olhou para mim.

Quando chegámos à aldeia, o Makarov materializou-se de repente. Onde estava antes? Sabia que nos tinha acompanhado sempre, mas eu só tinha sido capaz de ver Kwan.

Na aldeia, o verde era o mesmo — as folhas de bananeira, grossas e vastas —, o cheiro da terra era o mesmo. As árvores tombavam o peso das copas sobre as casas de madeira, as lianas emaranhavam-se nas traves das varandas, as plantas rasteiras subiam pelas paredes das casas, agarravam-se a elas, queriam devorá-las. A natureza estava esfomeada.

A madeira das casas era cinzenta, o tempo tratara dela. Os cães aproximavam-se para receberem festas. À volta das casas, vida — roupa estendida em cordas ou canas, antenas parabólicas, crianças admiradas, montes de chinelos à beira das portas, botijas de gás. E, a remendar algumas passagens de ar, a vedar infiltrações, faixas de lona, restos de anúncios antigos e desbotados.

Kwan ia alguns passos à minha frente. Satisfeito pela súbita corporeidade, o Makarov falava para ela.

Diante de uma porta escancarada, para aproveitar a luz, uma mulher estava deitada no chão. Tinha a cabeça sobre uma almofada rija, os olhos tapados por quadrados de ligadura, o corpo coberto por uma manta. Outra mulher, sentada no chão, inclinada sobre ela, tatuava-lhe as sobrancelhas.

Em silêncio, chegámos à entrada de uma casa. No alpendre, Kwan tirou os sapatos. Após a longa caminhada que fizemos na selva, o rosto de Kwan não tinha sofrido alterações. Seguimo-la e entrámos numa divisão, onde apenas estavam duas esteiras. Kwan pediu para nos deitarmos.

O ar era muito fresco. Numa espécie de brisa, chegava a voz de duas mulheres a falarem lá fora — o tom das suas palavras. A voz de Kwan em tailandês era diferente, eu gostava ainda mais.

Quando entraram as duas — os seus sorrisos — o Makarov e eu já estávamos preparados. A outra mulher apresentou-se e começou a massajar o Makarov. A mim, talvez por sorte, calhou-me Kwan — os seus pés descalços, o seu peso inteiro sobre as minhas costas.

41

Pompoarismo é uma técnica para trabalhar o músculo pubococcígeo, normalmente realizada por mulheres com o auxílio de bolas *ben-wa*.

Arnold Kegel foi um ginecologista americano que desenvolveu ideias semelhantes no ocidente. Ao pompoarismo também se chama "exercícios de Kegel", às bolas *ben-wa* também se chama "bolas de Kegel".

O músculo pubococcígeo estende-se desde o osso púbico até ao cóccix — nas mulheres, circunda a vagina. As bolas *ben-wa* são duas, ligadas por um cordão, muitas vezes também se lhes chama "bolinhas tailandesas".

Talvez por se tratar de uma técnica oriental, que foi aperfeiçoada na Tailândia, é comum referir-se o pompoarismo a propósito dos *ping-pong shows*. Essa ideia serve o fascínio do espetáculo, mas não é real.

Por muito que o conceito seja cativante— pela perspetiva da fantasia e do sensacionalismo —, é falso que essas mulheres lancem bolas de pingue-pongue ou fumem cigarros com a vagina por terem uma musculatura muito desenvolvida.

Para esses propósitos, usam um pequeno mecanismo, construído artesanalmente e por medida — uma espécie de zarabatana, muito pequena, que permite a projeção de ar.

42

O telefone começa a filmar o chão. Depois, abana com os passos, ondula atrás do polícia elegante — o uniforme fica-lhe bem. Há lixo no chão, objetos desirmanados, roupas a secar. O polícia bate à porta do que parece ser uma barraca de madeira. Ouve-se uma voz rouca no transmissor que traz à cintura, essa voz diz frases como telegramas. O polícia volta a bater, silêncio, e volta a bater, cada vez mais afirmativo. A porta abre-se de repente, uma rapariga vai para escapulir-se, mas o polícia põe-se à frente, não a deixa passar. Lá dentro, o monge está a enrolar-se no hábito, faz as dobras certas no pano — o seu peito é esquelético. A divisão só tem uma cama e uma ventoinha elétrica.

O polícia faz perguntas ao monge e à rapariga, os dois respondem com algum acanhamento. À vez, o telefone filma o rosto do monge e da rapariga. Nenhum olha diretamente para a câmara. As perguntas continuam, as respostas continuam e, a partir de certo momento, o monge e a rapariga sorriem envergonhados. A voz do transmissor do polícia entra na conversa. O telefone do monge começa a tocar, mas ele desliga-o à pressa. O polícia pede para ver a identificação do monge. O telefone aproxima-se e filma todo o documento em detalhe — o nome e todas as informações em alfabeto tailandês, a fotografia do monge num dia mais sério. A filmagem termina de repente.

Na internet, existem muitos vídeos sobre monges tailandeses a terem comportamentos considerados reprováveis. Aquele monge e aquela rapariga ainda estão lá — aquelas imagens estão sempre no presente, têm centenas de milhares de visualizações. Para quem está a vê-las agora pela primeira vez, é como se tivessem acabado de acontecer.

O Secretariado Nacional do Budismo é uma agência do Governo central da Tailândia, reporta diretamente ao primeiro-ministro, coordena e controla as políticas e atividades do Estado em relação a esta área. Foi esta instituição, por exemplo, que criou uma linha telefónica para que os cidadãos possam denunciar monges que sejam vistos em condutas inadequadas.

Essa é uma grande preocupação coletiva. No entanto, a enorme censura pública é proporcional à grande atração pelo tema. Os jornais e os noticiários televisivos apresentam histórias dessas quase diariamente. As prevaricações mais comuns são as que envolvem drogas, sexo ou corrupção.

Por vezes, há casos que reúnem todas essas heresias. Assim aconteceu com Luang Pu Nenkham Chattigo — conhecido como "o monge do *jet-set*". Após uma fotografia em que surgia num avião particular, com óculos de sol espelhados e uma mala da Louis Vuitton, descobriu-se que o monge detinha dezasseis contas bancárias, dez das quais exclusivamente em seu nome, com um movimento diário médio na ordem dos duzentos milhões de *bahts* — mais de cinco milhões de euros. Foi também acusado de ser pai de duas crianças e de manter relações com oito mulheres.

Na Tailândia, há cerca de trezentos mil monges budistas. Têm acesso preferencial nos aeroportos, têm lugares reservados no metropolitano de Banguecoque.

Em 2015, foi aprovada a lei que prevê penas de prisão até sete anos para quem propagar versões "incorretas" da doutrina budista. Entre as várias situações expostas, encontra-se a homossexualidade dos monges, que, à luz dessa lei, é criminalizada.

43

O silêncio da igreja era perfeito para enchermos com as nossas vozes sussurradas — nas costas ou na ausência da freira. Não conseguíamos resistir à desinquietação de estarmos juntos, tudo era engraçado — uma careta, um gesto. Tínhamos todos sete anos, andávamos todos na segunda classe.

Cristo crucificado, Maria pesarosa — mais do que pela austeridade da freira, éramos vigiados pela dor das figuras.

As minhas mãos eram pequenas. Às vezes, juntava-as na forma de rezar, uma de encontro à outra, as palmas das mãos juntas, os dedos juntos, como via fazerem.

As raparigas voltavam muito sérias, uma a uma, atravessavam o altar e, bem-comportadas, iam para um canto, onde se ajoelhavam a rezar penitências. Nós sabíamos que as penitências eram castigos.

A freira chamava o próximo. As minhas pernas eram

pequenas nas calças de bombazina — esse barulho ampliado pelo eco, cada passo.

O padre nunca sorria. Eu não gostava do padre. Na sua voz, sentia-se um incómodo por falar para crianças, notava-se que também ele não gostava de crianças.

O meu corpo era pequeno, ajoelhado numa almofada, perante o corpo grande do padre, sentado numa cadeira.

A sacristia era fria. A luz era fria e silenciosa como as paredes brancas. O resto do mundo não existiu durante esse tempo. A respiração do padre era velha. Os objetos eram crus e funcionais, não tinham alma.

Disse as palavras que a freira me ensinou e que repeti até decorar — abençoe-me, senhor padre, pois eu pequei. Talvez as tenha dito demasiado depressa, demasiado decoradas, sem significado. Fiz o sinal da cruz, como a freira me ensinou.

Não era eu que lhe enumerava os pecados, era o padre que mos perguntava — disseste mentiras? Eu procurava momentos na minha memória e encontrava alguma coisa — a minha mãe a perguntar se tinha arrumado o quarto, a professora a perguntar se tinha feito a cópia. Às vezes — respondia eu quase a sussurrar.

A partir de certo ponto, o padre ganhou um interesse súbito — disseste asneiras às meninas? Eu não percebia do que estava a falar. Antes que pudesse responder, fez outra pergunta — fizeste asneiras às meninas? Eu olhava para ele sem saber o que dizer. As minhas mãos eram pequenas, as minhas pernas eram pequenas, o meu corpo era pequeno, os meus olhos eram grandes. O padre insistiu — pensa bem, fizeste? Eu tinha sete anos e não percebia do que estava a falar.

44

Devagar, num gesto delicado, aproxima-se o nariz à área da face da outra pessoa — tocando ou não — e inspira-se.

Como um beijo, as mães e os pais cheiram os filhos, toda a gente cheira as crianças, os namorados cheiram-se uns aos outros, normalmente em privado. Esse é um gesto de ternura na Tailândia.

Tanto nas avenidas de Banguecoque como nas ruas das pequenas povoações rurais, ninguém ostenta mostras públicas de afeto. Com a exceção dos *farangs*, claro.

45

Tinha o corpo tão leve, não reconhecia as pernas a caminhar. Via-as darem um passo após o outro, mas pareciam exteriores a mim. As minhas pernas eram algo que acontecia. Assistia a esse mecanismo à distância. Era capaz de ouvir os pés no chão de terra, mas flutuava, comparável a uma nuvem, como se o meu corpo não tivesse feitio, como se me tivesse entornado para fora dos meus contornos.

O Makarov sorriu-me e entendi que sentia o mesmo. A massagem tinha-nos reformulado. Éramos dois seres revistos.

Passámos por um altar à rainha — um quadro rodeado por uma vedação de canas cruzadas, bandeiras nacionais e budistas à esquerda e à direita, jarras e velas à frente, natureza verde por todos os lados. Passámos também por um pequeno telheiro que abrigava duas fotografias da visita real à aldeia de Mae Kampong — numa, o jovem rei estava diante de um grupo de gente que segurava sacos de pano; noutra, a jovem rainha baixava-se na direção de uma das muitas pessoas sentadas, de cabeça baixa. Kwan explicou todos os detalhes dessas fotografias, mas não a ouvi, apenas a analisei.

Subitamente, chegámos à casa de Kwan. Ela saltou para os degraus de madeira e, ávida, subiu até à entrada. Descalçou-se em dois movimentos seguidos e avançou pela porta aberta. O Makarov e eu demorámos a descalçar-nos.

Uma das paredes tinha um enorme balcão sobre a selva — uma grande lonjura de árvores, o olhar lançava-se em voo sobre elas. Kwan explicou que era também naquela sala que dormia com a família. Traziam esteiras e, antes de adormecer, ouviam os sons da noite.

Na parede, estava afixado um desenho feito a lápis por mãos de criança — um casal com dois filhos —, havia também um calendário com o rei.

Aproximei-me da cozinha. A parede do fundo era aberta — atravessada por paus na vertical, panelas penduradas em pregos. O fogão, sobre uma botija de gás, parecia tão atarefado como a mãe e a irmã mais nova de Kwan, velozes, a atravessarem essa pequena divisão repetidamente. Sobre uma mesa, pilhas de loiça e garrafas de muitos tamanhos com água para cozinharem. A comida chegou-nos à mesa com amabilidade. *Pad Krapow Moo Sap*, carne de porco frita com manjericão — ainda sou capaz de ouvir a voz de Kwan a dizer "*pork*" sem pronunciar o erre — e *gaeng keow wan kai*, galinha com caril verde — Kwan a dizer "*chicken*" e a arrastar a última sílaba.

Quando terminámos de comer, o Makarov e eu levantámo-nos para ver a paisagem.

E, como uma notícia inesperada, começou a chover. Os céus lançaram-se sobre a selva com todas as suas forças, gotas grossas, como se a luz do céu fosse água, o céu inteiro a derramar-se sobre a terra, um dilúvio furioso, permanente.

Senti o peso dessa chuva e, num momento, percebi que me iria despedir de Kwan e nunca mais voltaria a vê-la na vida.

46

Como um rio, as multidões deslizavam pela Bangla Road a velocidade constante. Não se conseguia ver o chão, apenas correntes demoradas de *farangs* — grupos de jovens, casais, famílias inteiras — banhados e vestidos com roupas passadas a ferro, acabados de sair do *resort*, atordoados por *megawatts* de som e por convites das tailandesas em biquíni — *where you going?*

Àquela hora do início da noite, na Bangla Road, a poucos metros da praia de Patong, em Phuket, havia euforia nesses rostos queimados pelo sol, vermelhos, alguns com a forma de óculos escuros marcada à volta dos olhos. As crianças espantavam-se com a rapariga coberta por escorpiões, atrás de um baldinho para as moedas. Os maiores de idade — mulheres e homens — impressionavam-se com os bares escancarados para a rua, as raparigas quase nuas em cima dos balcões, as *ladyboys* quase nuas em cima dos balcões, a sugestão de sensualidade, sexualidade, pornografia, e o barulho da música a tornar tudo mais dramático, e as luzes garridas a tornarem tudo mais feérico.

Atravessando essas correntes, encontrando caminho, *ladyboys* ou raparigas com demasiada maquilhagem, tailandesas, saias curtas, sapatos de salto alto, saíam de dentro da multidão. Baixavam-se até ficar de cócoras diante de um monge que estava sentado na berma da rua, entre copos de plástico vazios e lixo, com uma pequena estatueta dourada de Buda diante de si.

Ao lado da multidão que passava, ficavam sozinhos. Soterrados pelo barulho, permaneciam no interior de um silêncio absoluto. Elas de cabeça baixa, a segurarem paus de incenso entre os dedos, ou apenas de mãos juntas, o monge a mexer os lábios em bênçãos — iluminados alternadamente por roxo, vermelho e azul.

Antes de fazerem múltiplas vénias, as raparigas entregavam uma nota de poucos *bahts* ao monge e, voltando a entrar na multidão, atravessando-a, cortando-a na diagonal, dirigiam-se aos balcões onde dançavam, às cadeiras onde pediam bebidas a *farangs*, aos recantos da rua onde ficavam a fumar cigarros, protegidas durante mais uma noite.

47

*B*ad boy, diziam.

Ao fim da tarde, ainda antes de escurecer, quando passávamos à frente de certos bares ou de certos salões de massagens, havia mulheres bonitas ou *ladyboys* bonitas que falavam para nós. Se estavam perto, deslizavam-nos a ponta dos dedos no braço, muito ligeiramente, a arrepiar a pele. Escolhiam um ou outro, e provocavam-nos.

Bad boy, diziam, arrastando a "o" do *boy*.

Nós, claro, gostávamos.

48

Os condutores de mototáxis só eram capazes de olhar para a luz do semáforo. Apontavam a cabeça e faziam força com as pálpebras para não piscar os olhos — não podiam piscar os olhos, não podiam perder um instante. As mãos estavam prontas, os punhos apertavam os aceleradores e estavam prontos, tudo dependia do semáforo. Iam chegando outras motas, passavam pelo meio dos carros — quebra-cabeças geométrico, labirinto de lata — e encontravam o seu lugar no pelotão. Os condutores que já lá estavam ignoravam esses novatos, só davam atenção à luz do semáforo. Sob o capacete, alguns tinham a boca e o nariz cobertos por lenços, protegiam-se do ar turvo, do fumo que escaldava ainda mais àquela hora.

No interior de um segundo — vermelho/verde.

Imediatas, as motas formaram uma nuvem de rugidos — tons múltiplos, aceleradores sinónimos. Cada mota tentava libertar-se das outras, como se pudesse finalmente escapar-se.

O Makarov e eu íamos em motas diferentes. Acertámos o preço com duas condutoras de mototáxis — coletes cor de laranja — que encontrámos a conversar numa pequena *soi*. Ao longo da viagem, pareciam dividir o tempo em que iam à frente, ultrapassavam-se à vez em momentos medidos. Então, podíamos acenar rapidamente um ao outro, tentando não perder o apoio e o equilíbrio. O calor colava-nos a roupa à pele.

E Banguecoque em *fast-forward* — autocarros vermelhos e verdes, de chapa grossa, polida à martelada; tuk-tuks atrevidos como insetos; pessoas paradas de lado, à espera de atravessarem, ou a lançarem-se num caminho irreversível, calculado entre trânsito aleatório; homens agachados no passeio, a venderem qualquer coisa; mulheres de avental e chinelos, a fritarem comida e fumo em bancas com rodas de bicicleta; lojas de fruta sobre caixotes, encostadas a muros, sob chapéus de sol antigos; gente carregada de sacos a transbordar ou com saquinhos enfiados na dobra do dedo; monges de sandálias; homens sentados em cadeiras de plástico, tronos de plástico, homens de camisola interior a segurarem mata-moscas; cabines telefónicas com o auscultador fora do gancho, pendurado ou arrancado; rostos perfeitos em anúncios, pele demasiado lisa e demasiado branca; montes de lixo em cantos discretos, encostados à base de postes de eletricidade; obras abandonadas nos passeios, gente apressada a contornar buracos; um cartaz onde estava escrito: *hotel for sale*; plantas a sobreviverem em vasos, a alimentarem-se diretamente dos canos de escape; polícias sinaleiros a apitarem para ninguém; gente de mota, com e sem capacete; famílias de mota, um pequenino apertado entre o pai e a mãe, a olhar para mim, a estranhar-me; mulheres sentadas de lado em mototáxis, os seus joelhos redondos; e *stop* — parámos num semáforo.

Very hot today — gritei sobre os motores. Ela virou-se para trás, senti-lhe o movimento das costas, e sorri — o seu rosto arredondado pelo capacete.

O semáforo — vermelho/verde.

Nas estradas ou cortando caminho pelas travessas, o barulho da mota era diferente consoante estivesse apertado por paredes estreitas ou livre, em estradas amplas, arranha-céus de um lado e de outro. Quando o caminho estava vazio de trânsito, a minha motorista era dona de toda a estrada, cruzava-a de um lado ao outro apenas por capricho. E passámos por cima de caracteres tailandeses escritos no alcatrão, gastos, passámos por cima de setas que apontavam sempre para onde não íamos. Passámos por ruas estreitas das traseiras — mulheres muito velhas e muito magras, feitas de vidro ou de bambu, a caminharem devagar, encostadas a paredes, cartazes do rei, pequenos altares, calendários de outras décadas, gaiolas de pardais. Passámos por pontes sobre canais de água estagnada e, sem saber como, chegamos de novo ao centro do trânsito — a forma da estrada a ser descoberta aos poucos, a ser interpretada, decifrada como um enigma, a importar apenas os espaços livres, mesmo que ínfimos, à conta, mesmo que a exigirem um ângulo reto.

E, debaixo do céu, as cores de Banguecoque — o chão negro, os edifícios enegrecidos pelo fumo, pelo tempo, por pintar, os toldos sujos das lojas, a massa negra de fios da eletricidade entrançados e as cores garridas, fluorescentes, de carros, roupas e tudo o resto.

Chegámos. Tirámos o capacete, despenteados, bêbados de ar, a precisarmos de esfregar o rosto com as mãos.

Pagámos o que estava combinado. As condutoras sorriam sempre; talvez por isso, tentámos ser engraçados em inglês. Elas falaram entre si em tailandês e, mães de família, riram-se como as meninas que costumávamos ver de uniforme, a ir ou a vir do colégio. Então, uma delas virou-se para um de nós e, tentando responder, disse — *you, bad boys.*

Elas e nós rimo-nos. Depois, aproveitando um instante de silêncio, antes de acelerar a mota e ir embora, disse ainda — *I love you.*

49

O meu padrinho ficava sentado à porta, numa cadeira de campismo, segurava uma cana como se segurasse um cetro. O sol arrefecia sobre os telhados, caía ainda algum resto de luz, muito raso, sobre as pedras da rua. A poucas dezenas de metros da casa do meu padrinho, da sua porta, ficava a loja do senhor Heliodoro, continuando, lá mais ao fundo, ficava o adro e a igreja — à hora certa, quando tocava o sino, acabavam as conversas, apenas se ouvia o estrondo das badaladas.

O meu padrinho era mouco, tínhamos sempre de gritar, repetir qualquer palavra por três ou quatro vezes. Já não aguentava o peso de bengalas ou de cajados, só podia com a cana porque tinha noventa e muitos anos, ou talvez já tivesse passado dos cem.

De certeza que tinha mais de noventa e seis. Essa foi a idade com que deixou de trabalhar na courela. Antes, muito magro, não afligia a burra que o levava de manhã e que o trazia à tarde — os alforjes cheios de hortaliça. Lá, na courela, onde nos juntávamos a fazer piqueniques na segunda-feira de Páscoa, o meu padrinho tinha uma horta, colmeias, um marmeleiro que dava bons marmelos, um poço e uma cabana, onde guardava ferramentas e o que precisasse.

Depois, vendeu a burra, já não tinha capacidade.

Sentado à porta, numa cadeira de campismo, de certeza que tinha menos de cento e quatro anos, essa foi a idade com que morreu — 1994.

Queixava-se de ninguém o levar à courela. Durante décadas, tinha passado os dias naquela terra e, de uma vez, deixou de poder vê-la. Custava-lhe muito, falava muito disso. A partir de certa altura, teria eu uns catorze anos, fez saber que estava à espera que completasse os dezasseis, tirasse a licença de motorizada e o levasse a ver a courela.

Eu não era desses rapazes que gostam de motas ou de carros, que conhecem marcas e discutem cilindradas. No largo do terreiro, a pouca distância da Sociedade, quando os rapazes falavam de motas, eu alheava-me, perdia-me no interior dos meus pensamentos.

Um dia, sem que lhe pedisse, o meu pai mandou arranjar a mota que já não usava, mandou afiná-la. À frente do portão da carpintaria, muito perto do tanque de rega onde eu nadava no verão, trouxe a mota e, em poucos minutos, ensinou-me o essencial. Então, debaixo do seu exame, sentei-me muito direito e compenetrado. Mas larguei a embraiagem demasiado depressa, rodei o acelerador à mesma velocidade, e a roda da frente levantou-se no ar, grande alarido, o motor a esforçar-se numa algazarra prolongada, a mota a cair, a riscar-se, o meu pai a brigar.

Nunca mais quis mexer numa mota.

O meu padrinho ficava sentado à porta, virava-se na cadeira para ver quase nada, um cão que passava lá ao fundo, o pouco que acontecia na sua rua. Tinha óculos, um pequeno bigode branco, mãos magras que eu segurava quando o ajudava a levantar-se. Não sou capaz de esquecer as vezes em que me sentei com ele, a ouvir histórias na sua voz de velho.

Até morrer, esperou que eu o levasse à courela.

50

O canal refletia o céu e as árvores. Nas águas do canal, havia uma cidade diferente, onde apenas existia o céu, com toda a sua paz, e as árvores, inclinadas sobre esse olhar.

Chiang Mai acelerava pelas estradas paralelas ao canal, a sua urgência não ignorava esse quadro, misturava-se com ele — Chiang Mai e as águas do canal equilibravam-se mutuamente.

Eu estava num largo com muita gente a cozinhar e a falar alto, passava do meio-dia, era a segunda vez que visitava a Tailândia e a primeira vez que estava em Chiang Mai.

Dissonante dos cheiros e das cores, das vozes, havia uma melancolia que me atenuava os gestos, os pensamentos, a forma como via o que me rodeava. Talvez fosse por isso que estendia o olhar sobre o movimento da estrada e procurava o canal — lento, ponderado. Não estava triste, estava sério.

Escolhia-se comida de uma das grandes travessas de alumínio — comida vermelha, comida cor de laranja, erva-príncipe, lima, leite de coco, pimenta, hortelã, coentro, manjericão, canela, curcuma, cominho, alho, gengibre. Ou pedia-se comida a alguém — uma mulher — que a preparava na hora, dentro de um *wok* grande, fundo, onde cozinhava tudo, como uma máquina onde bastasse colocar ingredientes, mexê-los e, logo a seguir, servi-los num prato acabado.

A um canto, havia uma mulher de mangas arregaçadas, madeixas de cabelos coladas na transpiração da testa, que tinha um sorriso brando quando se aproximavam pessoas que lhe pediam sopa. Abria uma panela, ficava envolta por uma nuvem de vapor, e servia tigelas de plástico cor-de-rosa ou azul. Depois, polvilhava-as com picante, uma colher de molho preto, rama de cebolinho picada, e entregava-as com aquele mesmo sorriso bondoso.

Apontando, pedi uma dessas sopas com massa. Também com gestos, perguntou-me se queria picante, molho, rama de cebolinho. Queria tudo. Recebi a tigela e o sorriso.

Quando me sentei, depois de provar o caldo, percebi com a ponta da colher que havia qualquer coisa meio dura e meio gelatinosa enrolada na massa. Desembaracei esse achado, eram três patas de galinha — uma inteira, perfeita como a mão de uma donzela, duas incompletas, de falanges partidas, com a cartilagem à mostra. O meu primeiro impulso foi o asco, mas, depois, lembrei-me de quando a minha mãe me pedia para pôr a mesa do jantar. Eu afastava o naperon de renda e a terrina que enfeitava o centro da mesa, estendia a toalha e punha os pratos. Nesse tempo em que a minha irmã mais velha já tinha casado e a minha irmã mais nova estudava na universidade em Lisboa, eram três pratos fundos porque íamos jantar canja.

Quando estávamos cada um no seu lugar, a minha mãe levantava-se para nos servir, também ela envolta por uma nuvem de vapor. A colher ficava submersa numa superfície brilhante — longos círculos de gordura translúcida a refletirem a lâmpada do teto, a absorverem a sua luz áurea.

Havia a voz do meu pai, a voz da minha mãe — percebo agora que eram novos — e a voz da televisão, talvez uma telenovela brasileira, algum sinhozinho ou alguma cabocla.

Havia o lume. Havia um grande madeiro que ardia lá atrás, desde o início da manhã, havia uma construção de achas que a minha mãe equilibrava com a tenaz, havia cinza. Era outono, quase de certeza.

Havia os cães que, a essa hora, ainda tinham autorização para estar ali, deitados no chão, à espera de alguma coisa que caísse da mesa pela ponta dos dedos do meu pai.

A canja tinha patas de galinha, era o melhor. A minha mãe escolhia-mas para o prato. Eu segurava-as e chupava--lhes a carne — descolava-se sem esforço. Deixava apenas os ossos, como peças de um brinquedo de montar.

Onde ficou esse rapaz? Onde me afastei dele até quase parecer que o esqueci? Que distância é esta que nos separa?

51

O Makarov e eu bebíamos qualquer coisa com os cotovelos pousados numa mesa alta, sentados em bancos altos, sem chegarmos com os pés ao chão. Não era tarde, mas faltava pouco para que começasse a ser. O que bebíamos não era especialmente alcoólico, era colorido, mas, agora, parece que recordo essa noite como quem tenta refazer o que aconteceu durante uma embriaguez. Parece que ficou sobretudo o barulho, a confusão de cores que tingia os rostos, os sorrisos induzidos, quase artificiais. Aquele era um bar só de *ladyboys*. Por isso, os homens sentiam-se na obrigação de exagerar as reações, demonstrando assim que estavam à vontade. Ninguém podia acusá-los de preconceito. As mulheres, apesar de estarem à margem do jogo, também exageravam reações, pelos mesmos motivos. Riam-se de boca muito aberta.

Algumas *ladyboys* sentavam-se à mesa dos clientes, passavam a mão pelo cabelo de algum, ou davam-lhe o braço, ou pousavam-lhe a cabeça no ombro — a brincar como se fosse a sério, a sério como se fosse a brincar. Outras *ladyboys* varriam o espaço com o olhar, como faróis — os nossos olhares tocavam-se. Havia *ladyboys* em cima de pedestais a dançarem em biquíni. Rodavam, ora virando-se para o movimento da Bangla Road, ora dirigindo-se para nós, no interior do bar. Havia ainda as *ladyboys* que circulavam entre mesas, provocando aqui e ali, avaliando os limites de cada um.

Foi uma dessas que parou ao meu lado — *hello, bad boys*. Depois de uma conversa desimportante, o Makarov perguntou se podia tirar-nos uma fotografia. Passei-lhe a mão pelas costas e segurei-lhe a cintura. Fizemos pose e, no momento em que o Makarov ia para carregar no botão, ela baixou o *top*. Na fotografia, fiquei um tanto surpreendido, agarrado a uma *ladyboy* com enormes seios nus.

Rimo-nos exatamente da mesma maneira exagerada como se riam todos os outros.

Mais tarde, no quarto de hotel, descalço, com o cinto desapertado, lembrei-me de enviar essa fotografia por mensagem de telefone à minha mulher. Juntei-lhe uma legenda que achei engraçada na altura, que esqueci.

Com a diferença horária, ela recebeu a mensagem à tarde, num elevador cheio de pessoas perplexas.

Essa fotografia demorou um instante a ir de um lugar a outro absolutamente diferente — dois mundos completos e contemporâneos.

Se pudesse mandar uma fotografia minha a quem fui, o que pensaria ele sobre mim? Agora, posso virar-me para trás, considerar todo o caminho que fiz até aqui, mas o que teria pensado se me tivesse visto desde lá longe? O que teria aquele que fui a dizer sobre aquele que sou?

HUGO MAKARON

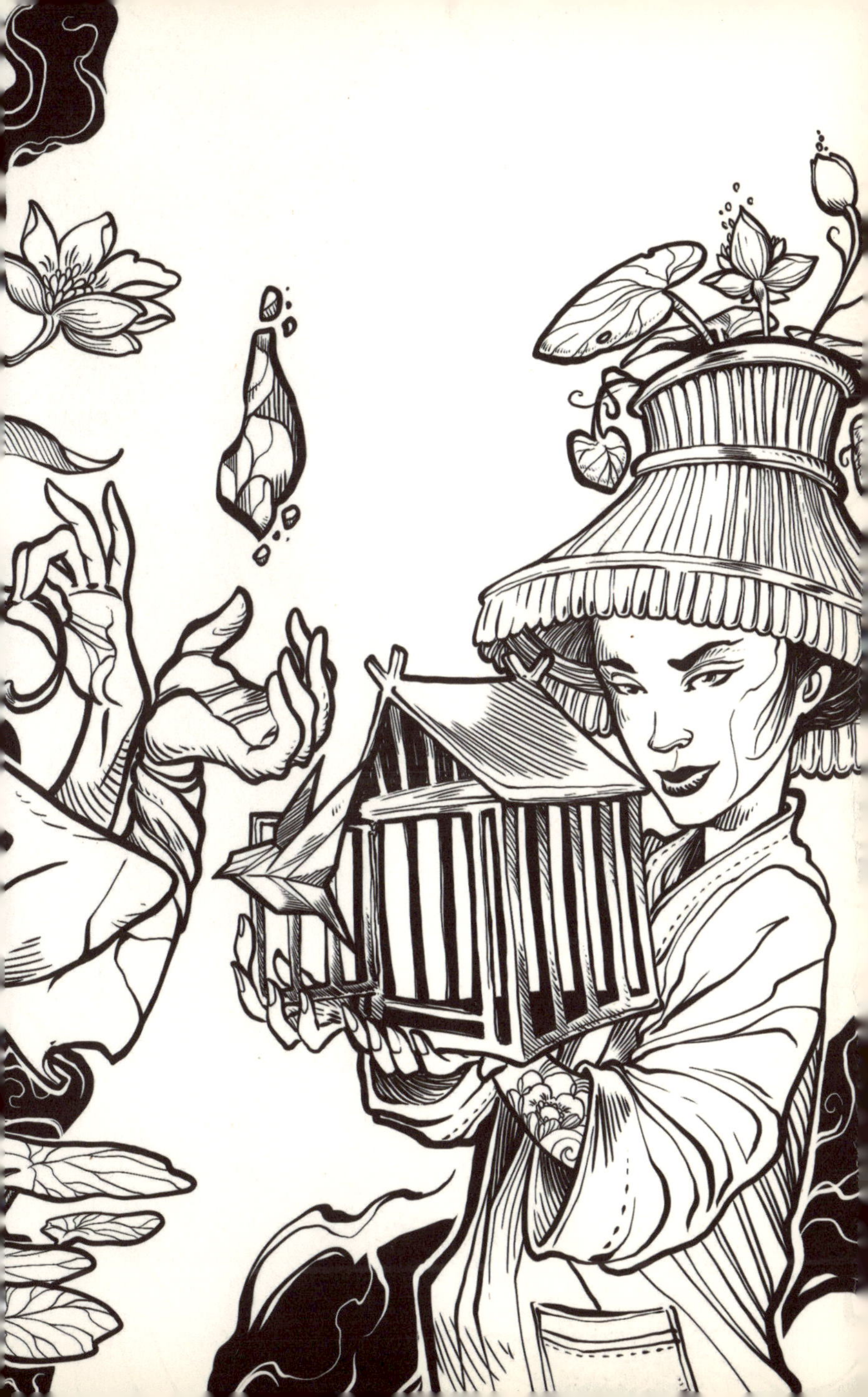

2

1

Nenhum dos meus avós alguma vez andou de avião.

O meu pai andou de avião uma única vez. Com autorização do médico, foi à ilha da Madeira. Estava doente de cancro na fase terminal.

Andei pela primeira vez de avião aos dezanove anos, fui a Londres. Ganhei o bilhete num concurso de televisão chamado *Palavra Puxa Palavra*.

O meu filho mais novo andou pela primeira vez de avião aos seis meses, foi a Las Vegas.

2

Na primeira vez que fui a Las Vegas, tinha planeado viajar para o Egito, queria ver as pirâmides e navegar no Nilo, mas, atrás do biombo de um estúdio de tatuagens e piercings, não recordo se antes ou depois de me espetar uma agulha, a Nazaré foi perentória — esquece o Egito, tens de ir a Las Vegas.

O meu filho mais novo lá andou no seu carrinho, a

ser amamentado em cantos mais ou menos reservados da Strip, a avenida principal de Las Vegas.

Foi a Nazaré que fez o meu primeiro piercing. Esse momento existiu há quase vinte anos, foi como um interruptor na minha vida em sociedade. Nos transportes públicos, as crianças dessa época — adultos de hoje — ficavam a olhar para mim, para a minha sobrancelha. Quando exprimiam dúvidas, os pais puxavam-lhes o braço ou começavam a falar mais alto, para disfarçar.

A Nazaré sabe o que são os olhares, tem tatuagens desde os pés até ao grande diamante que lhe cobre a base do pescoço. Quando nasceu o seu filho mais velho, as enfermeiras e as empregadas da maternidade chegavam e, sem pedir licença, levantavam a roupa da cama para lhe verem o corpo ou para o mostrarem umas às outras. Não me contou essa história assim que nos conhecemos, ouvi-a aos poucos, devagar, ao longo dos anos que passaram desde o primeiro piercing.

A Nazaré tem as letras *L*, *O*, *V*, *E* tatuadas nos dedos de uma das mãos. Quase de certeza que foi o Pinela que lhe fez essa tatuagem. Nos anos oitenta, o Pinela era o guitarrista e a Nazaré era a baixista dos Capitão Fantasma. No vídeo de um dos seus maiores êxitos — *Hu uá uá*, de 1992 — estão muito parecidos com o que são hoje. Sempre juntos, têm construído um mundo de bem-estar alternativo, como um planeta próprio, onde nasceram os seus dois filhos e onde o Pinela, de camisa havaiana, se dedica a fazer tatuagens, a recuperar carros antigos ou a cozinhar especialidades tailandesas vegetarianas, sempre apaixonado pela Nazaré que, sem aviso, chega saída da capa de uma revista estrangeira, com o seu cabelo armado e vermelho, com as suas gargalhadas e o seu dente de ouro.

Foi no estúdio de tatuagens da família Pinela que conheci o Makarov.

3

Às vezes, eu ficava a olhar para os postes. Era lá em cima que se juntavam todos os cabos. Feixes de cabos paralelos chegavam de vários lados e encontravam-se ali, juntavam-se numa massa negra de muitos fios iguais e embaraçados. Formavam igual confusão nos postes de onde vinham. De encontro ao céu, podiam estar mais estendidos ou mais largos, mais espaçados ou mais compactos. Às vezes, no topo do poste, alguns estavam enrolados, acrescentando novas formas àquela figura negra. Também havia sempre alguns cabos pendurados, com as pontas abandonadas no ar.

Nas avenidas de Banguecoque ou nas *sois* onde faltava espaço até para abrir os braços, os postes tinham sempre essa aparência. Cada um daqueles milhares de cabos ligava uma coisa a outra coisa qualquer. Olhando em volta, tentava imaginar essas ligações, e a minha cabeça, de repente, era também uma desordem de possibilidades — a relação entre o salão de massagens e o rio, entre o templo e o 7-Eleven, entre o arranha-céus e a barbearia, entre o rio e o templo, entre o 7-Eleven e o arranha-céus, entre a barbearia e o salão de massagens, etc.

Na Tailândia, existe tudo — um *tudo* — e, depois, existem todas as relações possíveis entre os elementos que constituem esse tudo.

Numa rua mal iluminada de Phuket, numas traseiras onde cozinheiros iam fumar cigarros, o Makarov e eu passámos por um poste de fios emaranhados que soltava faíscas desde o seu topo, talvez ao ritmo de uma aragem incerta, a um ritmo cardíaco, como se estivesse a preparar-

-se para explodir. As faíscas caíam em cordões de luz, ainda chegavam acesas ao chão. Só nós é que nos inquietámos. Os carregadores de caixotes contornavam as faíscas com os seus carrinhos de mão.

Em várias ocasiões, passei por homens que estavam lá em cima, a consertar uma avaria. Estavam presos ao poste por uma correia que lhes rodeava a cintura. Era incrível como sabiam distinguir os fios certos naquele caos. O seu trabalho era encontrar uma ordem, uma lógica.

Esse cuidado parecia uma lição de vida.

4

Tinha demasiados cadernos preenchidos com caligrafia desgrenhada — é um "a" ou é um "o"? —, palavras que eu deixara de entender, escritas durante curvas repentinas de tuk-tuk; frases deixadas a meio porque o Makarov, ou uma *ladyboy*, ou um gato, ou um balão a subir devagar ao céu me chamou a atenção; páginas com nódoas vermelhas de *tom yam kung*.

Tinha demasiadas imagens coladas aos olhos — eram *flashes*, apareciam e desapareciam, misturavam-se, sobrepunham-se. Não conseguia segui-las. Quando tentava concentrar-me em detalhes, essas imagens mudavam, transformavam-se noutras ligeiramente diferentes, relacionadas. No interior dessa chuva, as minhas mãos eram inúteis.

Sabia que precisava de uma perspetiva exterior, mas o livre-arbítrio não me obedecia. Não conseguia afastar-me do centro do ciclone, parecia que não havia saída. Doía-me a cabeça ao pensar.

No aeroporto, mal me despedi do Makarov, começou

uma realidade mais severa, sem desculpas. Os planos vagos deixaram de ser suficientes. Tinha de começar o livro — motivo pelo qual tinha atravessado o mundo —, mas as noites eram tão estéreis como os dias. Ficava até tarde a lutar com a Tailândia e com o medo. Adormecia rodeado de abstrações, exausto e derrotado, sem qualquer progresso. O papel pedia alguma coisa que me faltava.

Talvez, talvez, talvez — colocava hipóteses que eram como espelhos num labirinto —, talvez, talvez precisasse de mais tempo, talvez precisasse de mais distância entre mim e a Tailândia, mais tempo entre mim e a Tailândia.

Acreditava que, com o tempo, ganharia ângulo e perderia nitidez. Mas de qual abdicar? A reverberação de dúvidas como essa dava-me uma náusea ligeira, uma febrícula.

Levava um novelo dentro de mim. O esboço do que queria escrever tinha cada vez menos forma. Esse projeto de livro — deste livro — enrolava-se-me à volta dos órgãos, apertava-me o estômago, o coração, pesava-me nos pulmões.

Por razões médicas — sobrevivência —, tinha de avançar, mesmo que isso significasse voltar atrás, ao zero absoluto.

As perguntas a que tinha de responder eram: Porque escrevo?

Porque viajo?

5

Eram botas da tropa em segunda mão, compradas na Feira da Ladra — pousava a sola de uma na parede onde me encostava. Olhava sem preocupação para cada um dos lados, lá para o fundo, como se estivesse à espera de alguém. Tinha umas calças de ganga cuidadosamente rasgadas, a minha melhor camisola — Iron Maiden —, era um rapaz normal à porta do Gingão, no Bairro Alto.

Pelo menos, essa era a aparência que achava que tinha, mas guardava um segredo — eu sabia que não era um rapaz normal à porta do Gingão.

Levava o dinheiro contado para comprar uma cerveja — era muito crescido, dezassete anos. A música no Gingão era um barulho baço — cassetes de guitarras distorcidas, como ruído estático da televisão, bateria de pele pouco esticada nos tambores, vozes felinas por cima. Entrava decidido nessa galáxia à meia-luz — rapazes de cabelo comprido sentados à volta de mesas a falarem alto e a rirem-se também alto. Detendo-me em nada, avançava para o balcão. Com os ombros a baterem noutros ombros, segurava a nota de cem escudos como se tivesse várias no bolso.

Olhava sem espanto para a senhora a abrir a garrafa e, enquanto esperava pelo troco, lançava mais um olhar levemente desinteressado sobre a multidão. Voltava para a rua, voltava para a mesma parede, o mesmo posto, e segurava a garrafa pelo gargalo, como se a tivesse esquecido na ponta do braço.

Eu tinha passado os dias anteriores a planear detalhes. Naquele momento, estava a viver esse ideal. Às vezes, olhava para o relógio.

Os meus pais não sabiam que estava no Bairro Alto, tinha inventado qualquer coisa que eles entendessem.

Via pela primeira vez personagens que, meses mais tarde, quando fui estudar para Lisboa, haveria de reencontrar muitas vezes — o Motörhead, que era um indivíduo alto, de rastas, que só usava camisolas dos Motörhead; o Ribas, que era o vocalista dos Censurados; ou o Bebé, que era um punk desdentado, sentado no chão ou a cambalear, sempre com a língua enrolada na boca, a pedir trocos.

Ao lado do Gingão, havia uma pequena tasca, onde paravam os rockabillies — os penteados, as fivelas dos cintos, os batons vermelhos. Como nos territórios contíguos, sem fronteira rígida, havia uma faixa de terreno onde se misturavam uns e outros; continuando, chegava-se a áreas sem misturas.

Será que me cruzei aí com a Nazaré e o Pinela? Essa é uma possibilidade bastante provável, que carecerá para sempre de comprovação.

À hora, ao minuto, pousava a garrafa quase vazia num canto do passeio, sem pressa, despreocupado. A minha espera terminava. Afastava-me com um passo ensaiado, um passo normal na rua do Gingão, no Bairro Alto.

Assim que contornava a esquina, começava a correr. Descia a Calçada da Glória a correr. Tinha de apanhar o metropolitano e, depois, apanhar o último autocarro para os subúrbios, onde os meus pais passavam as férias e me esperavam. Não podia perdê-los, essa hipótese era impossível.

6

Queres beber sangue de cobra?

Ninguém me fez esta oferta. Ao caminhar pela Khao San Road, quem teve de responder a essa pergunta foi Richard, o protagonista do romance *A praia*, escrito por Alex Garland e adaptado ao cinema em 2000, com Leonardo DiCaprio no papel de Richard.

Não sei o que responderia se alguém me oferecesse sangue de cobra, talvez aceitasse.

Onde vais?

Esta é a questão mais repetida ao longo da Khao San Road. A resposta interessa apenas como início de conversa e, logo a seguir, de transação comercial. Se respondermos — qualquer resposta —, podemos acabar com os pés mergulhados num aquário de peixinhos que comem peles mortas ou, sentados num banco baixo, com alguém a enrolar-nos linhas de cores à volta de uma madeixa de cabelo. Em qualquer dos casos, multidões de *farangs* irão passar à nossa volta.

Sou mais velho do que o Leonardo DiCaprio exatamente dois meses e sete dias. Eu era um bebé de nove semanas no Alentejo, em Portugal, no dia em que ele nasceu em Los Angeles, na Califórnia.

Hollywood. Em 2009, o filme *Se beber, não case* contou a história de quatro amigos que, em Las Vegas, tiveram a despedida de solteiro mais exagerada que os argumentistas conseguiram imaginar. Nas bilheteiras, o filme faturou mais de quatrocentos e sessenta milhões de dólares. Em 2011, a sequela *Se beber, não case 2* contou a história dos mesmos quatro amigos, numa despedida de solteiro ainda mais exagerada, em Banguecoque. Rendeu mais de quinhentos e oitenta milhões de dólares.

Las Vegas/Banguecoque, Banguecoque/Las Vegas.

O Makarov e eu sentámo-nos numa esplanada, sob um enorme letreiro amarelo: GOLF BAR COCKTAILS VERY STRONG, WE DO NOT CHECK ID CARD & RESTAURANT. Ele abriu o caderno e começou a desenhar. Eu olhei para os grupos de rapazes que passavam — altos, eufóricos, protegidos de todos os males do mundo pela sua juventude —, interroguei-me se seriam os suspeitos americanos de enviarem restos humanos pelo correio para Las Vegas.

7

Na segunda vez que fui à Tailândia, na Khao San Road, em Banguecoque, senti tocarem-me no braço e falarem para mim em português — desculpe, é o José Luís Peixoto? E ficámos ali a conversar durante uns minutos, tirámos uma fotografia juntos. Era um grupo de professores portugueses, trabalhavam em Timor e estavam ali a passar alguns dias de férias.

Na terceira vez que fui à Tailândia, na Bangla Road, em Phuket, houve um homem que, saindo do meio da multidão, veio na minha direção de braços abertos também a falar em português — Peixoto, o que é que tu fazes aqui? Falámos durante algum tempo e marcámos encontrar-nos mais tarde porque ele tinha de voltar ao trabalho. Era fã de *heavy metal* e conheceu os meus livros em 2003, quando fiz um projeto com a banda Moonspell. Estava emigrado em Londres e, lá, surgiu a oportunidade de ir para a Tailândia aliciar turistas para negócios imobiliários.

Nunca sei exatamente o quanto me reconhecem na rua. Se alguém fica parado a olhar para mim, começo por pensar que é dos piercings e das tatuagens.

Às vezes, há quem me pergunte como é ser reconhecido na rua. Costumo responder que é bom. Essa resposta parece ser suficiente.

Não conto que fico a pensar se terei dito algo embaraçoso enquanto ainda não se tinham dirigido a mim — estaria a limpar o nariz com o dedo? Também não conto que, quase sempre, esses momentos provocam uma passagem demasiado rápida de mim para esse tal José Luís Peixoto. Mas tudo bem, quem pergunta não está interessado nesses detalhes.

Foi num sábado. O meu filho mais novo tinha dez anos. Íamos de mão dada, a descer a Feira da Ladra, em Lisboa, a olhar para tudo. Houve uma mulher que se aproximou com um tabuleiro de bolos e me perguntou se queria comprar uma fatia. Declinei e continuei o meu caminho. Estava a uns três ou quatro metros, quando a mulher me fez uma pergunta sobre as cabeças da multidão — tu não és o José Luís Peixoto? A essa distância, disse que sim, sorri e continuei a afastar-me com o meu filho. Então, já a levantar a voz, disse que eu devia escrever sobre as raparigas que são raptadas em Portugal e levadas para se prostituírem em Espanha. Abanei a cabeça, concordando — pois, pois — sem parar de caminhar. Então, houve o momento em que o olhar dela mudou — tu deves é estar feito com eles. A partir daí, durante dezenas de metros, ficou aos gritos, a chamar-me cabrão, filho da puta e pior, sempre referindo aquele nome — José Luís Peixoto. Num sábado de Feira da Ladra, a meio da manhã, fui de mão dada com o meu filho mais novo, debaixo dessa agressão, com toda a gente a abrir caminho e a olhar para nós.

Quando subimos, voltámos a cruzar-nos com ela e voltou a fazer o mesmo.

8

*R*achasap é o modo usado para se falar sobre a família real ou para se dirigir a algum dos seus membros. A maioria do vocabulário *rachasap* tem origem no khmer, no pali ou no sânscrito. Todos os tailandeses têm conhecimentos de *rachasap* e a maioria consegue entender, mas são muito poucos aqueles que o conseguem falar. Todos os dias, no canal público de televisão, antes das notícias gerais, há um segmento de dez minutos apenas com notícias sobre a família real — visitas de parentes do rei a instituições —, que é apresentado exclusivamente em *rachasap*.

Apesar de, com frequência, se indicar o *rachasap* como um idioma, trata-se de um conjunto de vocábulos que substituem outros tantos do tailandês comum. A estrutura linguística é a mesma. No entanto, as alterações lexicais são tão diversas que há a impressão de se tratar de outro idioma. Os termos mais alterados são aqueles que se referem diretamente ao corpo e às funções corporais do sujeito. Ou seja, para membros da família real, não se usam verbos vulgares — como "comer" ou "beber" —, existe um equivalente *rachasap*, que é considerado mais elevado. O mesmo acontece com partes do corpo — pé, cabeça, coração, etc. —, que também dispõem de uma expressão própria para serem mencionadas. Para além destes exemplos, há muitos outros.

Lembrei-me disto enquanto, com dificuldade, tentava encontrar palavras para começar a escrever este livro. Nesse momento, ainda não tinha percebido que o problema não eram as palavras, era o caminho.

9

Numa livraria da Khao San Road, quando decidi comprar *Bangkok tattoo*, de John Burdett, criei expectativas. Devia ter desconfiado da lombada intacta, sem vincos. Essa é uma lição para o futuro — entre livros usados, faz sentido escolher aqueles que tiveram mais uso. Essas marcas são conselhos de fantasmas.

Nas últimas décadas, entre os romances policiais, surgiu um subgénero que se dedica a retratar Banguecoque a partir do mundo dos bares e da prostituição. Esses livros são sempre escritos em inglês por estrangeiros que vivem na Tailândia.

Retrata-se mais o imaginário ocidental do que o quotidiano da cidade. A palavra *farang* é muito utilizada.

Alguns títulos: *Even thai girls cry*, *Private dancer*, *A snake in paradise*, *A farang strikes back*, *The go-go dancer*, *Who stole my Viagra*, ou *My name Lon, You like me?*, ou ainda *So many girls, so little time*.

Cristopher G. Moore, por exemplo, deixou uma carreira no ensino do Direito no Canadá e mudou-se para Banguecoque, onde criou a personagem Vincent Calvino — um detetive privado que se mudou para Banguecoque, deixando uma carreira na advocacia em Nova Iorque. Até agora, Calvino foi protagonista de quinze romances.

Só quando comecei a ler *Bangkok tattoo* percebi que esse romance também faz parte de uma sequência. Neste caso, o detective chama-se Sonchai Jitpleecheep. É *farang* pelo lado do pai — um militar americano que nunca conheceu. A mãe é uma prostituta tailandesa, como quase todas as personagens femininas do livro. O detetive Jitpleecheep passou a juventude na Europa e nos Estados Unidos antes de se mudar para Banguecoque. O autor — John Burdett — é um ex-advogado inglês que se mudou para Banguecoque.

O enredo do romance tem como eixo o roubo de tatuagens das costas de indivíduos — assassinados e esfolados. Em vários momentos, interroguei-me se os suspeitos de comprar restos humanos no mercado Khlong Thom teriam lido *Bangkok tattoo*. Seria um paralelismo perfeito.

Li até à última página, da maneira que gosto de fazer sempre. Com vincos novos e enganadores na lombada, deixei-o perto da receção do hotel, numa prateleira onde se acumulavam livros que os estrangeiros abandonavam nos quartos. Não levei nenhum dos que havia por lá — romances em russo e em línguas escandinavas.

10

Quando eu andava na universidade, morava na Póvoa de Santa Iria — linha da Azambuja — e ia ao Bairro Alto quase todos os fins de semana.

Quando as minhas irmãs andavam na universidade, moravam na avenida da Liberdade — a pouco mais de vinte metros da Calçada da Glória — e, até hoje, nunca foram ao Bairro Alto.

11

O templo branco fica a vinte e quatro quilómetros da casa negra. Wat Rong Khun é o nome do templo branco, Baan Dam é o nome da casa negra.

O templo Wat Rong Khun é uma obra do artista plástico Charlermchai Kositpipat. A casa Baan Dam é uma obra do artista plástico Thawan Duchanee. Ambas ficam no norte da província de Chiang Mai.

Debaixo do sol tailandês, custa olhar diretamente para o templo Wat Rong Khun. Há o branco, que ganha incandescência, e há também várias formas construídas com espelhos — pedaços de sol apontados aos olhos. Charlermchai Kositpipat é conhecido por juntar na sua arte símbolos budistas e referências modernas. Uma das suas pinturas mais conhecidas representa George Bush e Osama Bin Laden, montados num satélite, no espaço.

Quando estive no templo Wat Rong Khun, havia uma fila de monges para, um a um, tirarem uma fotografia ao lado de uma figura de cartão do artista Charlermchai Kositpipat.

A casa Baan Dam fica num enorme jardim — árvores e paz. Ao fim da tarde, a luz ameniza o negro que domina todas as paredes e objetos. Não se trata apenas de uma casa, são cerca de quarenta edifícios, com diversos tamanhos e formatos. O edifício principal tem uma estética muito comparável à de um templo tailandês, mas não se trata de um templo. O trabalho de Thawan Duchanee teve sempre uma clara ligação ao budismo. No início da sua carreira, essa abordagem causou polémica e as suas obras chegaram a ser atacadas e destruídas pelo público.

Quando estive na casa Baan Dam, parecia que as paredes tinham uma camada adicional de negro sobre o negro. Apenas haviam passado dois meses desde que o artista Thawan Duchanee tinha morrido.

12

Na primeira vez que fui à Tailândia, estava num festival literário em Macau. Assim que aceitei o convite, decidi adiar a viagem de regresso por uma semana. Achei que ia passar esses dias em Macau e em Hong Kong, que não conhecia na época. Foi quando cheguei lá que me falaram da Tailândia. Eu não tinha nenhuma intenção de ir à Tailândia, não era um sonho de juventude, não tinha uma curiosidade especial.

Na segunda vez que fui à Tailândia, viajei de propósito para escrever um artigo para a revista *Volta ao Mundo*. Há quase dez anos que colaboro com essa revista. Ao longo desse tempo, já fui a dezenas de destinos com o propósito de escrever sobre eles.

Na terceira vez que fui à Tailândia, encontrei-me com o Makarov no aeroporto de Lisboa, fizemos escala em Madrid e, na manhã do dia seguinte, chegámos a Banguecoque. Foi uma viagem longa, atravessámos o país de norte a sul.

Em resumo, estas são as três principais formas como tenho viajado nos últimos anos: a promover os meus livros internacionalmente, a escrever sobre lugares para publicações e a nível pessoal, por prazer.

Na viagem que fiz à Tailândia com o Makarov, estava convencido de que ia para escrever. Tinha o plano de escrever este livro e recordava-o quando era conveniente, mas, percebo agora, a minha primeira vontade era celebrar — na altura, tinha acabado de publicar um romance bastante trabalhoso e achava que merecia aquela Tailândia.

13

Barrigadas de rua — quando eu era muito pequeno, a minha irmã dava-me barrigadas de rua. Essa expressão, inventada por ela, significava que eu adorava ir para a rua e que ela me levava, me enchia a barriga de estar na rua.

Mais tarde, quando já estudavam na universidade e vinham passar o fim de semana a casa, as minhas irmãs traziam-me sempre um hambúrguer embrulhado em papel.

Compravam-no na rua das Portas de Santo Antão. Esse era o único lugar em Lisboa onde se podia comprar um hambúrguer como os dos filmes — pão, alface, tomate, molhos e batatas fritas. Faltavam dez anos para abrir o primeiro McDonald's em Portugal.

Chegava sempre um pouco esmagado — o pão ensopado nos molhos e na carne desfeita, as batatas geladas —, mas eu comia muito devagar, apreciando as nuances desse alimento moderno a que chamavam *ketchup*.

Durante os anos que as minhas irmãs estudaram em Lisboa, trocávamos cartas. Iam no mesmo envelope das cartas que a nossa mãe lhes escrevia.

Na escola, até à quarta classe, a profissão mais comum dos pais dos meus colegas era tratorista. Lembro-me de desafiar os outros rapazes para brincar aos *cowboys* e eles não saberem o que eram *cowboys*.

Eu sabia porque as minhas irmãs me tinham ensinado.

14

A 8 de julho de 2004, durante duas horas, Angelina Jolie esteve sentada numa *chaise longue*, num hotel em Pathum Tani, a trinta quilómetros do centro de Banguecoque. Descalça, tinha duas almofadas vermelhas no colo, usava calções pretos e uma camisola branca de algodão que, durante esse tempo, levantou até meio das costas.

Suponho que o cinzeiro e os cigarros pousados na outra cadeira fossem para ela e não para Ajarn Noo Kanpai, o mestre que, no momento da fotografia, estava compenetrado num detalhe da tatuagem. Com a mão direita, acertava a ponta da varinha de metal; com a esquerda, batia com a força certa para que o bico fosse picando a pele e deixando a sua marca. O resultado dessas duas horas de trabalho foi um tigre que cobre uma área de cerca de vinte por trinta centímetros.

Quanto valeria o tigre de Angelina Jolie, preservado em formalina, no mercado de Khlong Thom? Será que os americanos de Las Vegas teriam dinheiro suficiente para comprá-lo?

No ano anterior, no mesmo hotel, o mesmo mestre já a tinha tatuado. Dessa vez, tatuou um *thaew yantra*, que é o nome que se dá às tatuagens sagradas *sak yant* — cinco linhas em língua khmer. No caso de Angelina, diz: "Possam os teus inimigos fugir para longe de ti. Se adquirires riquezas, que permaneçam tuas para sempre. A tua beleza será como a de Apsara. Onde quer que vás, muitos acorrerão para servir-te, proteger-te, rodear-te por todos os lados".

Não são raras as vozes que condenam as tatuagens da atriz. Muitos tailandeses acham que os estrangeiros não reconhecem valor espiritual às tatuagens sagradas. Parece-lhes talvez que Angelina Jolie não crê realmente em Apsara — o espírito feminino das nuvens e das águas, que está referido na sua tatuagem. Sompong Kanphai é o outro nome pelo qual este mestre tatuador é conhecido em todo o país. A sua fama pode ser comparada à das próprias estrelas da televisão tailandesa que começou a tatuar a partir de 2003 — pós-Angelina. Pedem os mesmos desenhos da atriz de Hollywood, o mesmo *thaew yantra*, o mesmo tigre.

Sou mais velho do que a Angelina Jolie exatamente catorze meses. Nascemos os dois num dia 4. Até ao momento, Leonardo DiCaprio não contracenou com ela em qualquer filme.

15

O barulho das máquinas de tatuar era como um zumbido de insetos a contornar o Rock n'Roll. Em alguma ocasião, em algum lugar, aquela música foi dançada por rapazes de brilhantina no cabelo e raparigas de saia rodada — semiacrobatas. Ali, aquela música decorava o ambiente como as canas de bambu pintadas na parede, como a enorme quantidade de decalques de tatuagens colados à volta do espelho. O Pinela e o Makarov concentravam-se nas costas ou no braço de alguém. O barulho das máquinas de tatuar também podia ser comparado a motorizadas antigas, de motor nasalado, a afastarem-se e a aproximarem-se, em subidas e descidas, em curvas e contracurvas.

Nesse tempo, era habitual eu ir ao estúdio deles com alguma desculpa e demorar-me a conversar com a Nazaré.

Pouco tempo depois de ter conhecido o Makarov, de lhe ter apertado a mão pela primeira vez, decidimos ir juntos à Tailândia.

16

A 23 de novembro de 1974, quando eu estava quase a fazer três meses em Portugal e Leonardo DiCaprio tinha apenas doze dias na Califórnia, o realizador alemão Werner Herzog recebeu um telefonema em Munique e ficou a saber que a sua mentora — a crítica de cinema Lotte Einer — estava muito doente em Paris, quase a morrer.

Nesse momento, Herzog recolheu alguns mantimentos — roupas, objetos, uma bússola — e iniciou o seu caminho a pé até Paris. Acreditava que, assim, Lotte Einer não morreria. Enquanto ele fizesse essa longa caminhada — cerca de oitocentos e cinquenta quilómetros —, ela haveria de esperá-lo. Essa espera seria um incentivo para resistir. Depois, à chegada, o sacrifício dele funcionaria como uma compensação. Numa troca de dor por dor, Lotte Einer sobreviveria.

A viagem que o Makarov e eu estávamos a fazer não era assim. O seu apelo residia justamente na falta de desespero. Em certa medida a nossa viagem era o exato oposto dessa.

17

Piloto de aviões, professora, médica, veterinário, jogador de futebol, jogador de futebol, bailarina, jogador de futebol, médico, astronauta, professora, tatuador.

Na festa de finalistas do quarto ano, assim que o meu filho disse a profissão que queria ter quando fosse grande, os pais dos outros meninos fizeram todos a mesma cara. Mas ninguém comentou. Eu estava de mangas curtas.

Um dos seus desenhos recorrentes eram homens tatuados. Sempre gostou de canetas muito finas, boas para filigranas rebuscadas. Lembro um desenho que fez com nove anos — um tatuador a trabalhar no braço musculado de um cliente. Para além de todo o detalhe que era visível pela frente, ainda desenhou um espelho para refletir as tatuagens da parte de trás.

Há um ano que gosta de arte urbana. Quando já anoiteceu, mas ainda não é demasiado tarde para estar acordado, a mãe ou eu ficamos de vigia — faróis de carros, homens a passearem o cão — enquanto ele faz grandes pinturas a *spray*. Nós — adultos — a olharmos para todos os lados e ele — doze anos — a sacudir a bolinha de metal das latas e a fazer riscos de várias cores.

18

Segundo a tradição khmer, cada dia da semana tem ligação a um deus e, por sua vez, cada deus é ligado a uma cor. Seguindo essa lógica, também cada dia da semana é associado a uma cor. Domingo é vermelho, segunda é amarelo, terça é cor-de-rosa, quarta é verde, quinta é cor de laranja, sexta é azul-claro, sábado é púrpura ou preto.

Estas são as cores que dão sorte, também existem as cores que dão azar consoante o dia da semana.

Cada membro da família real tailandesa tem uma bandeira própria. O fundo dessa bandeira é a cor referente ao dia em que nasceu.

A bandeira do rei é amarela, a bandeira da rainha é azul, as das princesas e dos príncipes são púrpuras, cor de laranja, vermelhas, azuis e azul-claras.

Nas notícias da televisão sobre a família real, quando são recebidos em instituições, é comum que todas as pessoas estejam vestidas com a cor do dia de nascimento daquele que os visita, que todas as decorações sejam dessa cor.

19

Nunca vi autores tão ciosos de afirmarem a fidelidade autobiográfica dos seus textos como vi outros, nervosos, a negarem-na, a garantirem a pureza absoluta da sua ficção. Hoje, os autores de textos literários que toquem a autobiografia reconhecem sempre algum afastamento entre o que escreveram e o que aconteceu — nem um relatório com horas precisas e medições é plenamente certo com a realidade. Mais comum é encontrar-se autores de textos ficcionais a jurarem que aquelas personagens não têm qualquer relação com a sua vida, que os episódios que relataram são apenas a edificação intelectual de algo que nunca testemunharam ou ouviram contar.

É normal que tenham medo. Ao escrever, o autor esculpe uma representação de si próprio. Mesmo que se dedique aos romances de época, à ficção científica ou às alegorias passadas em não lugares, o tom do narrador, as características das personagens ou as decisões narrativas que tome hão de contribuir para a imagem que os leitores tenham sobre ele.

Essa faceta da ideia contemporânea de autor tem raízes no romantismo. Foi então que se distinguiu a arte do artesanato, que se concetualizou a obra enquanto reprodução dos sentimentos e das convicções do autor. A cola que liga o conjunto da obra, que a transforma numa unidade, é o seu autor.

Ninguém demonstra interesse em negar a edificação da obra e a conceção autoral da mesma. Quem assina textos quer ser autor, mais desagradáveis são os olhares estranhos, os julgamentos pessoais.

Por vezes, também há a rejeição de qualquer vínculo autobiográfico por complexo de inferioridade. Nesses casos, alimenta-se a ideia de que escrever sobre o que se presenciou é fácil, sem desafio literário. Basta consultar a memória e redigir. Essa é uma noção tão tosca que não merece resposta. Há que escolher onde se gasta energia. Contrariar ignorâncias cristalizadas é desperdício de recursos.

A dicotomia ficção/autobiografia não pode ser respondida com sim ou não. Lida-se com essa complexidade da mesma maneira que, na vida, se tenta lidar com outras complexidades. Em qualquer dos casos, não se pode pedir aos leitores que não tenham opinião sobre o autor. É uma expectativa irrealista, os leitores não vão ser capazes de cumprir esse pedido.

O autor é uma entidade presente no texto. Toda a gente sabe que o texto foi escrito por alguém. A informação que existir sobre o autor — homem ou mulher, contemporâneo ou do século XIX, português ou tailandês, etc. — será como um filtro, vai influenciar a leitura.

O narrador não é uma pessoa, é uma voz. O autor é uma pessoa, sai à rua, senta-se à mesa de cafés, espera na fila do supermercado. O autor não é imune aos olhares dos outros, às palavras dos outros — ninguém é.

Na hora de escrever, esse é um peso que já fez muitas vítimas. Não faltam exemplos daqueles que não o suportaram. Inconscientes dessa dimensão do texto publicado, escreveram um primeiro livro. Depois, quando o mundo lhes devolveu algo que não esperavam, ou se amedrontaram e não foram capazes de continuar, ou tudo se tornou muito penoso, cheio de palavras dolorosas, arrancadas uma a uma — pele esfolada.

A Tailândia emaranhava-se nisto. Quando não conseguia escrever este livro, enquanto o procurava e começava a temer que não existisse, eu era um desses autores assustados. Desconfiava até de sombras. Faltava-me algo que não sabia o que era — a pior coisa que pode faltar a alguém.

20

Cheirava a 7-Eleven. A luz era demasiado branca e, por isso, mostrava todas as pequenas sujidades mal varridas, esquecidas em cantos, entre armários e parede. O chão refletia as lâmpadas em grandes poças de luz. Por isso, as lâmpadas iluminavam a partir do teto e a partir do chão.

Metade dos americanos estavam bêbados.

Tentei interessar o meu filho mais velho pela compra das lâminas de barbear. Mesmo naquele pequeno 7-Eleven, todos os produtos existiam em meia dúzia de opções, pelo menos — é assim a América. Mas já era quase meia-noite — cedo para alguns, tarde para nós — e entravam homens a falar alto, chegavam da avenida principal de Las Vegas, vinham hipnotizados.

O meu filho mais velho tinha quinze anos e, por isso, não sabia bem o que sentir por estar ali àquela hora — orgulho de adulto ou receio de criança.

Acabei por ser eu a decidir acerca das lâminas de barbear. Escolhi as que me pareceram mais memoráveis. Já tínhamos recolhido as outras compras e, por isso, fomos para a fila da caixa. Os autores também esperam na fila do supermercado.

O meu filho mais velho nunca me pede nada e, por isso, não me pediu pastilhas, chocolates, pilhas ou lenços de papel.

A senhora da caixa não se interessou por nós ou pelas nossas compras. Estava a olhar para outro lado e a pensar noutra coisa. Fez as perguntas que aprendeu a fazer, estendeu a mão para receber os dólares, mas teria feito exatamente a mesma coisa se nós não fôssemos nós.

As lâminas foram usadas apenas no dia seguinte. Fui eu que lhe espalhei a espuma nas faces. Com sete anos, o meu filho mais novo ria-se de tudo. Às vezes, saía da casa de banho porque não aguentava a euforia. No quarto, a arrumar alguma coisa na mala, a organizar-se, a minha mãe fazia uma pergunta de vez em quando — como é que vai isso? Mas não esperava resposta.

O mais pequeno apontava para o irmão e tirava fotografias desfocadas.

Em Las Vegas, no 25º andar de um quarto de hotel com janela para a avenida e para a distância, o meu filho mais velho fez a barba pela primeira vez.

21

Por dentro, os quartos de hotel podem pertencer a qualquer cidade. Há os pequenos sabonetes, a luz filtrada pelas cortinas, o telefone na mesinha de cabeceira. Talvez eu tivesse a televisão desligada ou talvez lhe tivesse tirado o som — imagens que perderam o sentido e a importância a povoarem aquela solidão breve. A mala estava aberta num canto do quarto, sobre a alcatifa, era como um poço de onde nascia uma desarrumação de roupas abandonadas. Eu estava sentado na cama, descalço, encostado à cabeceira, com um caderno que o meu filho mais novo me deu no Natal, que a mãe comprou por ele.

A grande diferença de cada quarto de hotel é o que sabemos que está lá fora. Não precisava de olhar a paisagem — 11º andar sobre a Silom Road, filas de carros e tuk-tuks, motos a passarem pelas frinchas, prédios a marcarem a lonjura e, ali, no fim de tarde, milhares de luzes acesas em janelas como aquela onde estava, a mostrarem-me multiplicado por todas elas, a mostrarem-nas multiplicadas por mim. Mesmo sem sair do lugar, sentado na cama, a ideia de Banguecoque invadia-me por um momento — multidões — e, de repente, tudo isso acontecia dentro de mim. Tinha de afastar esse pensamento, era excessivo.

O Makarov estava no seu quarto. Não sei o que estava a fazer. No caderno que o meu filho me deu, com uma caneta do hotel, eu escrevia um poema. Logo nos primeiros versos, usei a palavra "silêncio". Lembro-me de ter ficado a pensar nisso. Quando escrevo poemas, a palavra que me surge com mais frequência é "silêncio".

Escrevi também: "Acabaram os segredos. As mentiras / evaporaram-se". Não foi essa a primeira vez em que, começando uma sequência de poemas, senti necessidade de fazer uma afirmação de sinceridade. Lembro-me de também ficar a pensar nisso. Normalmente, são os mentirosos que mais juram a sua franqueza.

22

Quando abriu o primeiro Starbucks em Portugal, fui lá com o meu filho mais novo. Tudo era igual aos Starbucks dos Estados Unidos. Fiz-lhe esse comentário, mas ele não concordou.

Vês, agora há aqui um Starbucks como aqueles onde íamos em Las Vegas — disse eu.

Este é muito diferente. Lá, quando saíamos, estávamos numa rua de Las Vegas; aqui, quando saímos, estamos num centro comercial em Alfragide — disse ele.

23

Em 2016, havia pouco mais de vinte e cinco mil Starbucks no mundo. Ao contrário da maioria das grandes cadeias multinacionais de restauração, a Starbucks não se expandiu através do *franchising*. Justificou-se sempre essa extravagância com a "cultura da empresa", com os seus valores.

A 7-Eleven, por seu lado, é a empresa com o maior número de estabelecimentos em regime de *franchising* no mundo. Em 2016, ultrapassou a marca das sessenta mil lojas — mais vinte mil do que a McDonald's.

Há quase nove mil 7-Elevens na Tailândia, apenas poucas centenas a menos do que a totalidade dos Estados Unidos.

O ar-condicionado dos 7-Elevens da Tailândia está sempre no máximo. Banguecoque pode estar a ferver — as roupas coladas à pele por suor grosso — mas, dentro de um 7-Eleven, está sempre frio polar, como no Alasca.

24

WAT PHO

Eis-me descalço perante Deus.

Atravessei a vida inteira para chegar aqui
e, no entanto, Deus pede que continue —
pede em silêncio.
Caminho sem pressa, acabou a pressa e
acabaram os segredos. As mentiras
evaporaram-se.

As palavras deixaram de conseguir
esconder-me. Cada palavra é
um passo.

Os meus pés criam raízes em cada passo,
as plantas dos meus pés enterram-se
neste chão sagrado.

Onde estás? Despedi-me, deixei-te lá longe,
fiz esta distância à tua procura —
encontrei-te por fim.

Caminho sem pressa, carrego o peso
da infância e da arquitetura.

Deus arde à minha frente e sei agora
que o meu nome não me protege.

25

A cor dominante das casas dos espíritos deve ser a que diz respeito ao dia de nascimento do proprietário.

Sobre um pilar de altura variável — uma pessoa de pé, talvez —, têm a forma de casas ou templos em miniatura e a função de abrigar diversos espíritos — tanto negativos, que trariam problemas aos donos da residência, como positivos e protetores. Esses espíritos são representados por figuras de loiça com a forma de anjos, animais, pessoas sentadas, de pé ou a dançar. Também no interior dessa casinha, rodeados por essa multidão de cerâmica, os donos são representados por dois anciãos, também de loiça. A maioria das construções da Tailândia possui uma casa dos espíritos.

A manutenção desses pequenos espaços sagrados é levada muito a sério — sempre limpos e bem preservados. À sua frente, há ofertas de comida, bebida ou flores dirigidas aos espíritos.

A compra e a instalação da casa dos espíritos têm de ser feitas antes da construção do edifício. Para encontrar um lugar auspicioso, chama-se um sacerdote brâmane — não um monge budista. O culto das casas dos espíritos não pertence ao budismo. Não deverá ficar na sombra do edifício a que diz respeito.

Ter uma árvore por perto é considerado uma caraterística favorável. Ao instalar-se a casa dos espíritos, é feita uma cerimónia elaborada com invocações dos deuses hindus.

Em Banguecoque, há casas dos espíritos diante de grandes bancos, prédios de escritórios, hotéis. Mulheres de *tailleur* fazem as suas orações nesses altares, homens de fato e gravata aproximam-se e deixam garrafas de Fanta de morango como oferta. Às vezes, as casas dos espíritos estão no passeio ou num espaço frontal ao edifício; noutras vezes, estão no terraço, no topo, apenas visíveis dos andares mais altos dos prédios vizinhos.

Como será a reunião em que a direção de um banco ou de uma empresa aprova a construção da casa dos espíritos? Como se dará conta dessa decisão na ata?

Quando há novos proprietários, é necessário instalar uma casa dos espíritos nova e realizar uma cerimónia para remover a antiga. Considera-se que é preciso muito cuidado com a sensibilidade dos espíritos.

Na Tailândia, há cemitérios exclusivos para guardar as casas dos espíritos que já não estão a ser utilizadas.

26

Não precisávamos de nos casar e, ainda assim, quisemos fazê-lo. As pessoas casam-se por muitos motivos, nós tínhamos os nossos.

Escolhemos a cerimónia que incluía um imitador do Elvis. Para ter alguma espécie de validade, para não ser apenas nada, fomos tratar dos papéis do nosso casamento num registo civil de Las Vegas — pelo poder que me é dado pelo estado do Nevada declaro-vos, etc.

Não contámos à nossa família, não tínhamos convidados, éramos só nós.

Antes, quando estávamos a fazer a marcação na capela de casamentos, a escolher o que queríamos que o imitador cantasse, havia um casal a pouca distância. Estavam calados, sentados num banco, à espera de casar ou acabados de casar.

Retrospetivamente, dá-me a impressão de que talvez estivessem demasiado calados, com os olhos demasiado abertos. Para além de nós e da senhora do balcão, eram os únicos que lá estavam.

Em linha reta, Portugal fica a nove mil quilómetros de Las Vegas.

Nessa noite, quando cheguei ao hotel, li uma mensagem do *Facebook*. Era a noiva que estava na capela, dizia que me tinha reconhecido mas que aquele lhe pareceu um momento pessoal e, por isso, achou melhor não dizer nada.

Ainda hoje me questiono se, julgando-me à vontade, terei dito alguma inconveniência durante esses minutos.

27

Escrever é ouvir vozes. Escutei cada uma destas frases antes de escrevê-las. Foram escolhidas entre outras que também escutei. Às vezes, embora raramente, usei a primeira que ouvi, a que estava mais perto, a que distinguia com mais nitidez; noutras vezes, usei uma que estava longe, camuflada por ruído, com poucas sílabas à mostra, a precisar de ser puxada lá do fundo; noutras vezes ainda, quase sempre, selecionei uma frase, próxima ou distante, imobilizei-a e comecei a trabalhá-la — troquei uma palavra pelo seu sinónimo, troquei uma palavra por uma expressão que me parecia mais precisa, viajei na sintaxe.

Nada disto é esotérico, é concreto como o aço — sem que seja aço, no entanto. Há quem prefira chamar pensamentos a essas vozes. Custa-me fazê-lo porque duvido da sua fonte. Pensar é um verbo que exige um sujeito, coloca ênfase naquele que pensa. Os pensamentos são criações de quem pensa. Sei que estou presente e que sou determinante — não abandono o meu posto —, mas não me sinto nascente dessas vozes e dessas palavras. Identifico-as e seleciono-as, dou-lhes forma e uso a minha voz para projetá-las, saem da minha boca e do meu nome, mas a sua fonte é o mundo. Partem do mundo e dirigem-se a ele, atravessam-me. Dessa forma, redundância e paradoxo, essas/estas palavras constituem-me porque sou constituído por elas.

Fechada em mim, levo uma espécie de Banguecoque. É uma cidade imensa — mais de oito milhões de habitantes segundo o *Censos* de 2010. A minha tarefa consiste em traçar a cartografia de todos os ecos que me povoam. É um trabalho de paciência. Escrever é cometer os erros certos.

Não faltam perigos nesse caminho. Um dos riscos graves que ameaça os seres vivos, homónimos e contemporâneos de escritores, é converterem-se em autojustificações — reflexos do que acham que se espera deles, do que se escreveu sobre eles ou do que eles próprios escreveram. Essa é uma forma de escravidão. Incomoda-me quando alguém acha que sabe quem sou apenas porque leu um livro escrito por mim — como este — ou, até, porque leu uma frase mal citada ou viu a minha cara numa fotografia. Sinto-me agredido quando tentam reduzir-me a conceitos fechados e intransigentes, construídos por olhares que não se questionam a si próprios, que não admitem qualquer hipótese de falha no seu preconceito.

Incomoda-me esse equívoco porque quero que saibam mesmo quem sou.

Eu próprio, que sei mais do que fica escrito, tenho dúvidas imensas acerca de quem sou. Quanto mais tento conhecer-me, mais percebo o quanto falta para me conhecer. Quanto mais ilumino, mais consciência tenho das enormes distâncias que falta iluminar.

Porque escrevo?

Esses que acreditam que me conhecem dececionam-se com muita facilidade. Como não permitem que me afaste um milímetro do seu julgamento, é muito fácil que, com o tempo, lhes pareça que estou a desviar-me do que "era", estou a corromper-me. Não consideram sequer a possibilidade de eu nunca ter sido a ideia que criaram por sua conta.

Lamento. Não por mim, claro — lamento por essas pessoas. Hão de dececionar-se muito com muita gente. Em qualquer dos casos, será sempre melhor dececioná-las a elas do que dececionar-me a mim próprio.

28

Para nós, as casas dos espíritos são curiosas peças de mobiliário urbano. Tiramos-lhes fotografias. São exóticas e coloridas, condizem com as pétalas das flores deixadas como oferta.

Para os tailandeses, as casas dos espíritos são habitadas por entidades invisíveis, dotadas de sensibilidade caprichosa.

Quem tem mais razão?

As vozes e os pensamentos são invisíveis. A cidade que está depois das paredes que nos rodeiam é invisível.

29

Steve Gleason é um jogador de futebol americano que nasceu em 1977, em Spokane, no estado de Washington, no norte da costa oeste dos Estados Unidos. Retirou-se do desporto profissional em 2008. Ficou conhecido por uma jogada a 25 de setembro de 2006, na qual se atirou, com incrível coragem física, sobre um pontapé do adversário, bloqueando a sua progressão e garantindo um *touchdown* para a sua equipa — os Saints, de Nova Orleães. Essa jogada tornou-se um símbolo da recuperação da cidade depois do furacão Katrina.

Diante do estádio dos Saints, há uma estátua chamada Rebirth que representa esse bloqueio.

Em 2011, Steve Gleason revelou que sofria de esclerose

lateral amiotrófica. Nesse mesmo ano, nasceu o seu filho Rivers. Na fase inicial dessa doença, os músculos perdem força e massa, tornam-se rígidos, há espasmos e cãibras. O doente pode sentir falta de equilíbrio, cansaço, dificuldade em articular palavras. Na fase intermédia, os sintomas iniciais agravam-se. Certos músculos começam a ficar paralisados, enquanto outros enfraquecem. As articulações podem ser afetadas por essa rigidez muscular. Sentem-se as primeiras dificuldades em reter a saliva, engolir e respirar.

Nas últimas fases, os músculos voluntários — aqueles que são controlados pela vontade do indivíduo — ficam rígidos e perdem a ação. A pouca mobilidade que existia fica ainda mais limitada. Os músculos que asseguram a respiração deixam de cumprir as suas funções e é necessária assistência de máquinas para respirar. O doente não se alimenta pela boca e não fala.

A maioria das mortes deve-se à insuficiência respiratória. Em média, entre as fases iniciais e a morte decorre um período de entre três a cinco anos.

Assistindo à degradação acelerada das suas condições de saúde e de autonomia, Steve Gleason decidiu filmar-se a si próprio para que, mais tarde, o filho pudesse conhecê-lo. Nessas muitas horas de vídeo, dirige-se ao filho no futuro, às suas diversas idades. Conta-lhe a história da sua vida. Fala-lhe dos valores que considera importantes. Diz-lhe o que precisa que fique dito.

30

O meu pai morreu um mês depois de fazer cinquenta e sete anos. Eu sou o filho mais novo — o acaso que ninguém planeou — e, por isso, tive menos treze anos de pai do que uma das minhas irmãs e menos oito anos de pai do que a outra.

Nenhum ressentimento, apenas matemática.

31

As palavras são espelhos imperfeitos. Escrever, mesmo com todas as insuficiências, é o que sei fazer para descobrir quem sou. Utilizando os materiais de que disponho, tento construir uma representação de mim próprio. Monto uma estrutura de substantivos e afirmações, testo-lhe a firmeza e, combinando cores, preencho-a com adjetivos e metáforas. Ao acertar detalhes desse duplo, observo o original, tiro conclusões.

Mais tarde, quando dou o trabalho por concluído, ponho esse objeto lá ao fundo para não me confundir com ele e, principalmente, para vê-lo melhor.

Com os textos de ficção, acontece o mesmo. Deixar de escrever "eu" não traz enormes diferenças.

No interior do meu entendimento, as personagens dos romances que leio ou escrevo são apenas o que consigo que sejam.

Porque escrevo?

Escrevo porque quero que os meus filhos saibam quem sou. Tenho esperança de que estas palavras, misturadas com o que lhes mostro, sejam suficientes, sejam o máximo possível. Quero que me conheçam porque quero que se conheçam a si próprios. Quando eu já não possuir palavras, espero que regressem a estas e lhes encontrem significados que, agora, são inacessíveis.

Espero que estas palavras os abracem.
Escrever é a minha maneira de ser pai deles para sempre.

32

Morrer nas ilhas Phi Phi. Como uma vírgula — férias, devastação. Morrer em Phuket, morrer em Krabi, morrer num *resort* turístico. De repente, as espreguiçadeiras da piscina a serem tudo o que há para tentar sobreviver.

Às 00h58:53 UTC, do dia 26 de dezembro de 2004, a oeste de Sumatra, aconteceu um sismo submarino. Formou-se aí o tsunami que, passadas duas horas, atingiu as costas da Tailândia e de outros treze países.

Foi o terceiro terramoto mais violento alguma vez registado pela escala de Richter.

Entre desaparecidos e mortos confirmados na Tailândia, estima-se que tenha sido ultrapassada a marca das oito mil vítimas. Há muitas histórias sobre o que aconteceu — são milhares —, mas o silêncio consegue ser maior — é apenas um.

33

Imagino o meu pai na única vez que andou de avião na vida — a surpreender-se com o interior do avião, à procura do assento, a aprender o funcionamento de tudo. Como se fecha o cinto de segurança?

A minha mãe ao seu lado, também a andar de avião pela primeira vez, mas com futuro, com possibilidade de futuro — apesar de não ser capaz de imaginá-lo naquele momento. Mais tarde, quando o meu pai já tinha morrido havia anos, a minha mãe recusou fazer certas viagens — ao Brasil, por exemplo — porque eram as viagens com que o meu pai sempre tinha sonhado e não queria fazê-las sem ele.

Imagino o meu pai no momento em que o motor do avião enche tudo com o seu rugido, não deixa pensar em mais nada, cria uma certa apreensão dramática e, depois, num instante, as rodas levantam do chão, deixa de sentir-se o atrito áspero da pista, e se começa a flutuar — as pessoas que estão a andar de avião pela primeira vez olham umas para as outras, sorriem, deslumbradas pela magia.

Imagino o meu pai com esse sorriso brando, vindo do fundo da infância, vindo do menino que foi. Essa imagem conforta-me na dor de tê-lo perdido para sempre porque sei que mereceu esse sorriso, mereceu ter experimentado essa ilusão.

Sei exatamente como é que o meu pai sonhava porque foi ele que me ensinou a sonhar. Estávamos sentados em algum dos nossos lugares, eu era pequeno, e a sua voz guiava-me os pensamentos. Percebo agora que recebia instruções para a vida. O meu pai ensinou-me a acreditar.

Porque viajo?

Viajo por causa desses sonhos, viajo pelo meu pai.

34

A 26 de dezembro de 2004, Emmanuel Carrère não estava na Tailândia. Estava no Sri Lanka, passava férias com a companheira, o filho e a filha da companheira. Na véspera, propôs que se mudassem do *bungalow* no topo de uma elevação para uma residencial junto à praia, mas perdeu a votação. Tinha planeado fazer mergulho nessa manhã com o filho, mas este decidiu não ir. Essas duas circunstâncias salvaram-lhe a vida. O tsunami que chegou às costas do Sri Lanka teve origem no mesmo terramoto que formou o tsunami que atingiu a Tailândia.

Este é o início do livro *Outras vidas que não a minha*, no qual Emmanuel Carrère escreve na primeira pessoa. Depois de relatar parte da destruição e das tragédias a que assistiu no Sri Lanka, conta o seu regresso a Paris, onde assiste à agonia e à morte da sua cunhada Juliette.

A cada página que lia de *Outras vidas que não a minha*, ganhava forma e sentido o livro que pretendia escrever — este livro.

Numa entrevista à *Paris Review*, em 2013, Carrère fala de um outro livro — *O adversário* —, em que escreveu sobre Jean-Claude Romand, um francês que fingiu ser estudante de Medicina e médico e que assassinou toda a sua família — pais, mulher, dois filhos e cão. Na entrevista, diz que o seu modelo era o clássico *A sangue frio*, de Truman Capote. Disse também que a escrita estava bloqueada até considerar o que ele próprio estava a fazer enquanto Romand assassinava a família. Então, deixou de pensar o livro a partir de um narrador na terceira pessoa, como acontece em *A sangue frio*, e começou a pensá-lo na primeira pessoa.

O adversário foi publicado em 2000, o mesmo ano em que publiquei o meu primeiro livro.

Outras vidas que não a minha, *O adversário* — até os títulos destas obras de Emmanuel Carrère estavam em sintonia cósmica com a reflexão que precisava de fazer para chegar a este livro.

35

Onde está o Makarov?

Levantei a cabeça do jornal e não o vi. Durante minutos — não sei quantos —, fiquei submerso na notícia sobre dois americanos que tentaram enviar algumas encomendas com restos de cadáveres humanos pelo correio. Quando levantei a cabeça para contar-lhe, não o vi.

Fazíamos escala no aeroporto de Banguecoque. Demasiado cedo, tínhamos saído de Chiang Rai; à tarde, chegaríamos a Phuket.

Nos anúncios dos altifalantes, entre sílabas tailandesas, apenas entendia a palavra "*airlines*" e, depois, pelas pausas, parecia-me que estavam a soletrar alguma coisa. Havia gente com pressa, a deslizar pelo chão brilhante, a correr pelas alcatifas cinzentas, e havia gente sem pressa, a parar em todas as lojas ou a dormir de boca aberta no desconforto das cadeiras.

Lá ao fundo, havia um estrado rodeado por plantas, com quatro cadeirões de braços — tronos pobres — e um letreiro em várias línguas que dizia: "Exclusivo para monges e noviços budistas".

Estava habituado à presença do Makarov e, por isso, sentia como se mo tivessem roubado. Culpava-me a mim próprio — não devia tê-lo esquecido durante tanto tempo.

Segurava ainda o jornal que tinha encontrado num banco. Era um jornal tailandês para estrangeiros — *farangs* —, escrito em inglês. A notícia estava na primeira página. O título era "Americanos sondados acerca de encomendas contendo restos humanos". Na fotografia, aparecia um desses americanos, ao telefone, usava um boné ao contrário e tinha o braço visível todo tatuado — como nós. O início da primeira frase da notícia era "A heavily-tattooed Californian man has been questioned".

Não sabia se havia de sair à procura do Makarov ou se devia ficar ali, à espera que regressasse. Sem resposta, voltei ao jornal, essa era uma trégua ao dilema. A notícia tinha os endereços de Las Vegas para onde as encomendas tinham sido enviadas — com nome de rua e número da porta.

A quem interessaria essa informação?

O que se poderia fazer com o conhecimento daqueles endereços precisos? Fiquei a considerar hipóteses dentro da minha cabeça — ferviam. Todas essas possibilidades eram excêntricas e envolviam atravessar o mundo. Acelerei a respiração. Acho que as minhas faces coraram.

Eram quase onze horas da manhã em Banguecoque — 10h46. Naquele preciso instante, eram 4h46 da madrugada em Lisboa. Em Las Vegas, eram 20h46 da véspera. Ali, havia aquela hora em que o dia já tinha começado, havia a ideia acerca do que se ia fazer com ele e avançava-se nesse sentido. Em Lisboa, com a exceção dos misteriosos, dos fora da regra e dos insones, toda a gente estava a dormir. Em Las Vegas, as ruas estavam cheias, os *buffets* estavam cheios, as salas dos casinos estavam cheias, como estariam a qualquer outra hora — ainda assim, aquele era um tempo distante, estavam ainda na véspera, teriam de viver o que eu já tinha vivido desde o jantar do dia anterior. Sentia que tinha uma vantagem sobre essas pessoas de Las Vegas — sabia o que aconteceria nesse tempo, elas ainda não.

Makarov? Estava sentado atrás de mim, a centímetros, muito sossegado, a desenhar no seu bloco. Como não reparei nele? Percebo agora que estava demasiado perto para que conseguisse distingui-lo. Atento, apesar de não interromper o traço, manteve-se imperturbável quando comecei a contar-lhe a história dos americanos.

36

Vi a minha mãe em todas as ruas da nossa vila, a caminhar por passeios calcetados ou, com a mesma ligeireza, a atravessar ruas sem carros. Vi a minha mãe a limpar as folhas da terra do quintal, a esticar-se para colher pêssegos, damascos, limões, laranjas. Vi a minha mãe a deixar molhos de erva nas coelheiras, a trocar a água das galinhas e dos pombos. E vi a minha mãe em Las Vegas, a passar à frente de casinos, do Bellagio, do Flamingo, do Venetian. Vi a minha mãe a avançar pelos longos corredores do Caesars Palace, como se avançasse pela rua de São João, carregada com as compras do fim da manhã de sábado, nova e animada, a dizer bom dia a toda a gente.

Éramos um grupo díspar — o meu filho mais velho, alto, magro, de quinze anos, antes e depois de ter feito a barba pela primeira vez; o meu filho mais novo, palrador, quase a chegar ao peito do irmão, sempre atrás dele, sempre a querer contar-lhe alguma coisa; a minha mãe, que tinha feito setenta anos em junho, a andar com menos agilidade mas a não se negar; e eu.

Entrávamos em casinos apenas para aproveitar o ar condicionado, porque não aguentávamos mais. Tudo refletia o sol. À tarde, Las Vegas inteira era esse sol do deserto. À noite, não ficava mais fresco. Era um agosto calcinado. O ar tinha ardido durante o dia, respirava-se com dificuldade, sabia a queimado, secava-nos por dentro.

E, no entanto, íamos juntos — os meus filhos com a avó, um com o outro, comigo, eu com eles, a minha mãe com os netos, eu com a minha mãe, a minha mãe comigo, eu que já não era a criança que nasceu dela, que teve a idade do meu filho mais novo, do meu filho mais velho, que cresceu até àquele momento. E, também, cada um de nós com os Estados Unidos — antes, Nova Iorque e a Califórnia — e, ali, com Las Vegas.

Em novembro desse ano, a minha mãe teve um acidente vascular cerebral. Na véspera, tinha assistido à descrição dos sintomas num programa de televisão da tarde e, por isso, teve toda a consciência do que se estava a passar. Às quatro da manhã, acordou com esse ataque. Durante nove horas, tentou arrastar-se da cama até à porta.

De manhã, a minha irmã foi para o emprego, acreditando que a deixava a dormir. A minha mãe escutou tudo isso, mas não conseguia falar ou mexer-se. Imagino o que sentiu quando ouviu a minha irmã fechar a porta e sair.

Às onze horas, no limite da exaustão, conseguiu alcançar algumas roupas que estavam penduradas na maçaneta da porta e puxou-as. Felizmente, nesse dia, chegou uma empregada para passar a ferro. Foi essa senhora que chamou a ambulância.

Planeei toda a viagem, levei-os a milhares de quilómetros, porque quis mostrar-lhes a parte de mim que só existe em Las Vegas, quis que me conhecessem melhor.

Depois do acidente vascular cerebral, com muito esforço, a minha mãe recuperou a voz e o movimento, mas nunca mais teve coragem de viajar de avião.

37

Em vários livros, sempre que tem oportunidade, Paul Theroux diz mal das viagens de avião. Segundo a sua ideia, trata-

-se de uma forma artificial de viagem — um viajante a sério sente o chão, atravessa fronteiras terrestres ou marítimas.

Paul Theroux é um ano mais velho do que a minha mãe. Para entendermos as nossas certezas e assim as fortalecermos, é importante questionar a nossa experiência. Duvidarmos do que nos parece evidente é, também, uma forma de viajar.

Fazer parte dos ansiosos — antes de levantarem voo, só querem entrar; depois de aterrarem, só querem sair — não é a única maneira de andar de avião.

Bem sei que há demasiadas filas nos aeroportos — no *check in*, no controlo dos metais, no portão de acesso ao avião. Há horários imperiosos e lugares marcados. Sei também que o Indiana Jones, com o seu chapéu e o seu chicote, ficaria um pouco deslocado na maior parte dos aeroportos internacionais — lugares sem pó. No entanto, definir viagem por esse estereótipo de "viajante" é imensamente redutor.

Mark Twain escreveu uma frase que é repetida sempre que dá jeito: "A viagem é fatal para o preconceito, a intolerância e a estreiteza de espírito". Quase concordo. Seria excelente, no entanto, se essa abertura fosse realmente aplicada ao outro e não apenas à ideia romantizada e preconcebida do outro — como num estudo antropológico do século XIX, com ou sem medição de crânios.

Para ser viajante, não é obrigatório usar calças com bolsos de lado, coletes também com muitos bolsos, chapéus com fitas para prender debaixo do queixo, como os exploradores dos documentários sobre tribos remotas ou vida animal.

O tempo que passamos nos aviões não existe? Porquê? Objetiva, concreta e cientificamente existe — passa no relógio. O tempo apenas não existe quando o recusamos, quando não o sentimos, quando não fazemos nada com ele, quando não tentamos entendê-lo.

Viajar de avião é como chocar de encontro a uma parede — não é natural e não é para todos.

É preciso aprender a andar de avião.

38

Tive uma namorada que andava no segundo ano de Sociologia. Passávamos tardes inteiras deitados, nus, ao lado um do outro, a olhar para o teto. Havia roupa espalhada pelo chão do quarto, em cima dos móveis, havia canecas meio cheias de café velho, havia cinzeiros a transbordar — o cheiro ácido da cinza. As horas eram infinitas durante essas tardes. Não dizíamos nada — não queríamos estragar. Entrava a luz certa pela janela e ficávamos a recuperar o fôlego; depois, acostumados a ele, ficávamos a sentir o lento encher e esvaziar dos pulmões.

À noite, não podíamos esperar pelo elevador da Glória — não sabíamos quantos minutos demoraria a arrancar — e, por isso, subíamos a pé. Quando chegávamos às ruas do Bairro Alto, perdíamos toda a pressa. Sentávamo-nos em degraus ou no chão. Nesse tempo, o chão não era frio, sujo ou desconfortável. Olhávamos em volta e conhecíamos sempre alguém. A noite acabava com o nascer do dia, mais ou menos.

Ela não apreciava fazer os trabalhos da faculdade, tinha outras preferências. Eu gostava de estudar, mas só o que não trouxesse qualquer conveniência para o meu próprio curso.

Além disso, teria feito qualquer coisa que ela me pedisse. Foi assim que acabei por fazer vários trabalhos de

Sociologia. Escrevia os rascunhos num caderno e, depois, passava-os à máquina.

Becoming a marihuana user foi um artigo de Howard S. Becker, publicado pela primeira vez em 1953, no *The American Journal of Sociology*. Esse texto é a base de uma teoria, segundo a qual se defende que o prazer que deriva do consumo de marijuana não é natural, tem de ser aprendido.

O ser humano desfruta de diversos prazeres que decorrem da sua natureza ou, se preferirmos, dos seus instintos, dos seus sentidos. Depois, há outros que nascem de uma aprendizagem social. Ou seja, sentimos prazer com essas experiências porque aprendemos a associá-las à ideia de prazer. Esse processo tanto influencia a forma como entendemos essas práticas como o nosso próprio conceito de prazer.

De forma muito resumida, os sintomas decorrentes de fumar marijuana, segundo Becker, não são prazerosos até se aprender a considerá-los como tal.

Eu lia excertos do artigo de Becker em inglês à minha ex-namorada: "The taste for such experience is a socially acquired one, not different in kind from acquired tastes for oysters or dry martinis. The user feels dizzy, thirsty; his scalp tingles, he misjudges time and distances. Are these things pleasurable? He isn't sure. If he is to continue marihuana use, he must decide that they are".

Eu fazia estas leituras com a língua a enrolar-se no interior da boca. Ela ficava a olhar para mim muito séria, a pensar com profundidade em algum detalhe ou, de repente, começava a rir-se de alguma coisa verdadeira ou inventada.

Ao contrário de quase tudo o que conversávamos nesses momentos, nunca esqueci esta ideia de Howard S. Becker. Ao longo dos anos, tenho-a usado constantemente.

Interrogo-me sempre acerca da origem de cada prazer — será natural e instintivo ou socialmente adquirido? Com uma construção social diferente, poderia ser diferente?

Também não esqueci que, de 0 a 20, teve — tive — 10 nesse trabalho. Ficou contente, não tinha ambições académicas, bastava-lhe a nota mínima para passar.

39

"O caminho também é um lugar".

Antes de viajarmos juntos na Tailândia, o Makarov e eu fizemos um projeto no aeroporto de Lisboa. Escrevi algumas frases e pequenos textos, que ele ilustrou. Esses materiais foram expostos em diversas áreas do aeroporto.

"Todas as cidades onde nunca estiveste são imaginárias".

"Quando chegares, não te esqueças de onde partiste".

Procurei escrever textos que interpelassem quem vai sozinho por ali, como vou tantas vezes — frases que entrassem nesses pensamentos, vozes que iniciassem conversas com essas vozes.

"Estamos aqui, neste instante que esperou a sua vez desde o início dos tempos. Estamos aqui, o caminho também é um lugar".

Um dia, quando não estava à espera, recebi uma mensagem no *Facebook*. Uma rapariga enviou-me uma fotografia do antebraço, onde tinha tatuado o desenho de uma flecha e essa frase — O caminho também é um lugar.

40

O número musical da etnia Akha consistia em meia dúzia de senhoras com mais de sessenta e cinco anos, sincronizadas, a baterem com tubos de bambu no chão. Uma delas cantava — talvez a mais velha —, as outras estavam muito sisudas, à espera de que passasse o tempo. O chão era de terra. O telheiro que nos cobria era de madeira e folhas secas.

Uma coreana decidiu ir dançar à frente das mulheres Akha. Sem conseguir coordenar-se com aquela batida certa, parecia divertida com o simples facto de estar em movimento. Os outros coreanos da excursão estavam encantados com ela. O som do bambu já não se ouvia — as gargalhadas gritadas abafavam-no —, apenas continuávamos a escutá-lo porque tínhamos interiorizado esse ritmo.

Como seria de esperar, outros coreanos foram também dançar para a frente das mulheres Akha. Batiam palmas desencontradas, cada um dançava com o seu estilo, levantavam pó. A sua euforia seria aceitável se estivessem bêbados.

Quando acharam adequado, as mulheres Akha improvisaram um final e, enquanto eram disputadas pelos coreanos para fotografias, apontavam para um letreiro pregado à trave-mestra — "*Donation box, thank you very much*".

À entrada da aldeia das tribos, havia desenhos que apresentavam a espiral metálica que as mulheres Padaung usam no pescoço. Um desses desenhos mostrava os ossos e dava a entender que, por ação desse artefacto de metal, as vértebras se separavam do crânio — o que é um mito. Havia também uma dessas espirais sobre uma mesa, podíamos mexer-lhe ou pesá-la numa balança.

Não me recordo do preço dos bilhetes.

O Makarov passava pelas ruas de mulheres a venderem os mesmos objetos — talvez feitos por elas próprias. Não precisei de falar com ele para saber o que pensava.

Nos folhetos da aldeia das tribos, depois de se enaltecer o número de tribos disponíveis para visita, era explicado que se tratava de refugiados que tinham chegado do Myanmar no final dos anos oitenta e que, ali, tinham condições para manter as suas tradições intactas.

Enunciava-se também a missão da aldeia — distribuir o rendimento do turismo pela comunidade de forma justa e promover o encontro com as populações.

Quando os coreanos repararam nas mulheres Padaung, desinteressaram-se pelas Akha. Às vezes, a medo, esticavam o indicador e tocavam-lhes nas espirais à volta do pescoço. Afastavam logo os dedos, muito bruscamente, como se queimasse, e davam grandes gargalhadas coletivas, faziam comentários em coreano. Depois das fotografias, as mulheres Padaung ficavam a estender a mão.

Existem várias aldeias de tribos na província de Mae Hong Son, junto à fronteira com o Myanmar. O pouco inglês da parte deles — suficiente apenas para dizer preços — e o nosso desconhecimento total do birmanês não nos permitiu comunicar para além do olhar.

Foi mais tarde, em filmes e reportagens legendadas, que pude ouvir aquelas pessoas a falarem das suas dificuldades — sem documentos, não podem sair da aldeia; mesmo com documentos, não podem sair da região ou trabalhar fora da aldeia; candidatam-se a documentos, mas não lhes são atribuídos; o Estado tailandês afirma que apenas melhorará o acesso à água, eletricidade, esgotos e estradas quando todos tiverem documentos.

Apesar de parecerem anéis sobrepostos, trata-se de uma espiral enrolada à volta do pescoço. São um vestígio da tradição Padaung e, nas aldeias tailandesas de tribos, são a certeza de vender mais e de tirar mais fotografias ao lado de turistas.

Passámos depressa pelas ruas onde se vendia *souvenirs* em bancas, não queríamos ser alcançados pelos coreanos. Mulheres de várias tribos ofereceram-nos pequenas bonecas com as mesmas roupas que elas próprias tinham vestidas. Faltava alguma coisa ao olhar dessas mulheres. Tinham bebés deitados ao seu lado, no estrado de madeira, sobre cobertores. Tinham crianças que corriam à sua volta, inocentes de outros mundos. Diante das suas casas de madeira, essas mulheres estavam rodeadas pelo silêncio da natureza — árvores vivas, aves ou música, o cheiro da seiva. Lá ao fundo, como uma preocupação, a algazarra dos coreanos aproximava-se.

No caminho para o portão da aldeia, depois de deixarmos as ruas, lembrei-me do conceito literário de suspensão voluntária da descrença. Essa ideia — batizada por Coleridge — refere-se ao modo como o leitor decide aceitar a lógica de um texto de ficção, mesmo que a reconheça como irreal — fantástica, contraditória ou impossível. Temporariamente, o leitor admite "acreditar" naquilo que sabe não ser real e, nessa convicção construída, vivencia a obra de ficção.

Enquanto nos afastávamos, fomos rodeados por borboletas.

Não sei o que significavam.

41

Apesar de existirem alguns trabalhos europeus feitos nos anos trinta, é aceite que o primeiro estudo antropológico a deter-se no turismo, direta e concretamente, foi feito em 1963 por Theron A. Nunez, da Universidade da Califórnia, em Berkeley. As razões que se costumam apresentar para esta demora são a crença de que se tratava de um tema menor e, também, o receio que os antropólogos demonstravam de ser confundidos com os turistas.

Nas décadas seguintes, no entanto — com obras como *Hosts and guests, the anthropology of tourism*, de Valene Smith, publicada em 1977 —, essa área de estudos desenvolveu-se e diversificou-se bastante.

Ao longo deste tempo, o termo "cultura" tem sido um desafio particularmente problemático para os antropólogos dedicados a este tema. Apesar de ser um conceito central na atividade turística, é usado com pouca precisão e com significados muito díspares.

A antropologia contemporânea tem participado em longos debates sobre a autenticidade cultural, a cultura enquanto bem de consumo, a produção cultural enquanto fator de desenvolvimento económico, etc.

Foi a antropologia do turismo que notou e registou a forma como as expectativas dos turistas trazem mudanças às manifestações culturais de quem os recebe.

Os turistas chegam com expectativas acerca daquilo que vão ver, acerca do que é genuíno e típico. O turismo é um negócio, os turistas são os clientes. Os visitados, para agradar aos seus clientes, para fazer face à demanda do mercado, elaboram uma representação de acordo com essas expectativas — vestem roupas "tradicionais", preparam pratos "tradicionais", fazem danças "tradicionais", tocam músicas "tradicionais", etc. Os visitados representam a sua própria cultura para agradar aos visitantes.

Talvez porque escrevo livros, talvez porque estou sempre a traçar paralelismos entre isso e tudo o resto, esta ideia recorda-me as expectativas extraliterárias dos leitores em relação aos escritores — se não fumas cachimbo na cadeira de baloiço, se não estás em pose na escrivaninha diante do fim de tarde, se não és o que defini que um escritor deve ser, não és escritor ou, pelo menos, não és bom escritor.

42

Uma empregada vem a caminhar pelo jardim, mas, de repente, esconde-se atrás de uma planta de folhas enormes. Fica a espiar um rapaz vestido com um fato demasiado largo que sai de casa a puxar uma rapariga pelo braço. A rapariga vai contrariada mas entra no carro, que demora pouco a arrancar. A empregada sai detrás da vegetação e, muito despachada, vai ao encontro de uma senhora mais velha — matriarca da família —, que está a fazer um arranjo de flores na sala, e começa a explicar-lhe o que viu. A senhora, imperturbável, relativiza a preocupação da empregada. Entretanto, no interior do carro, o rapaz e a rapariga vão sérios, têm um assunto grave a resolver. Passam pelas ruas de Banguecoque, excecionalmente sem trânsito, e estacionam à porta da empresa. O rapaz do fato demasiado largo tenta convencer a rapariga a sair do carro. Insiste e ela acaba por sair. Volta a puxá-la pelo braço para entrarem na empresa, ela resiste um pouco, firma os pés no chão, faz cara de zangada, mas continua a segui-lo. Entram no escritório dele.

Fica sentado à secretária e estende-lhe o telefone. A rapariga liga a outra rapariga que, sem explicação, está rodeada de flores. A conversa é tensa. A primeira fala com voz suave, a segunda fala com mais altivez, sente-se cheia de razão. No escritório do rapaz com o fato demasiado largo, quando a primeira desliga o telefone, sobe o volume de uma música de órgão eletrónico. Ela fica em silêncio, a olhar para longe, como se fixasse o horizonte.

Os turistas acreditam que podem ver tudo em x dias. Por isso, não param, é desperdício de tempo. Eu, que ia escrever um livro e, por isso, não era turista, estava deitado sobre a cama feita, a ver uma telenovela tailandesa. Segundo o relógio da mesinha de cabeceira, eram 17h46, mas eu não tinha pressa, Banguecoque continuava lá em baixo, no seu lugar. Quando eu morrer, Banguecoque continuará no seu lugar.

Tinha o caderno aberto ao meu lado, deixara um poema a meio, interrompido pela telenovela, pela música dramática. Iria retomá-lo mais tarde, quando se resolvesse a situação da rapariga — parecia ter bom caráter, enredada numa trama de equívocos por vicissitudes do destino — e do rapaz do fato demasiado largo.

O turismo é como assistir a uma telenovela numa língua que não se entende. Vê-se as personagens, os seus traços físicos, ouve-se o tom em que falam e tenta-se interpretar tudo o resto. Apanha-se um episódio aleatório, não se sabe o que aconteceu antes ou o que acontecerá depois. As certezas acerca do que se está a testemunhar variam de acordo com a confiança que cada um tenha nas suas próprias especulações.

43

Éramos os únicos *farangs* daquela discoteca em Chiang Mai.

Sábado à noite — passávamos entre milhares de tailandeses de vinte anos que não se tinham calçado, vestido ou penteado por acaso. Protegíamos a bebida com o braço que tínhamos livre.

Chegámos de tuk-tuk. Ficava longe do centro e do mercado noturno. Descobri essa discoteca por acaso na primeira vez que fui a Chiang Mai — segunda em que fui à Tailândia. Era enorme, tinha pelo menos dois palcos com música ao vivo. Noutras pistas, outra música.

Ao atravessarmos uma divisão de luz azul e música electrónica, o Makarov tocou-me no ombro. Virei-me e vi-o mexer os lábios. Tentei decifrar-lhe a expressão por segundos. Desisti logo a seguir. Aproximei o ouvido. Repetiu.

No planalto, sua gulosa.

Sua gulosa? Não podia ser, mas, mesmo assim, perguntei — Gulosa?

Depois de se rir até querer, gritou — Bairro Alto, rua da Rosa!

44

Aquela *soi* da Sukhumvit Road era estreita e pedonal. Multidões passavam de um lado para o outro — marés. Era de noite, havia luzes das cores mais garridas, havia música misturada com o barulho de muita gente a falar alto, havia espetadas a serem vendidas em carrinhos geridos por mulheres de mangas arregaçadas. Eu estava encostado à parede, fora do mundo, invisível como uma alma.

No chão, no centro da rua, estava um homem de rosto muito sujo, deitado de barriga para baixo. Tinha as pernas mortas, atrofiadas no interior de calças imundas; tinha os pés descalços, também negros, abandonados numa posição sem vontade — objetos de carne. Com descrença desesperada, levantava o queixo do chão e estendia a mão para pedir esmola. Arregalava os olhos na tentativa de que o vissem, mas todos passavam à sua volta, contornavam-no sem precisar de olhar para ele — seguiam num nível onde esse homem não existia.

Então, desistiu dos outros num instante — o seu rosto mudou — e começou a rastejar na direção do esgoto. Esse caminho foi muito lento — puxava o corpo inteiro com os braços, os dedos cravados no cimento.

O chão de Banguecoque é preto, coberto por pó misturado com humidade, sebo, lixo calcado por milhares de passos, calor, fumo de canos de escape. O chão de Banguecoque é quente.

O peito da camisa do homem tinha a mesma consistência pastosa do chão, o mesmo negro, o mesmo calor húmido. O esgoto estava coberto por uma grade. O homem acertou a cintura sobre essa grade e, sem desabotoar as calças, começou a urinar. Durante esses segundos, com o queixo espetado no chão, o homem baixou as pálpebras e perdeu todos os vincos do rosto.

Quando abriu os olhos, regressou àquela *soi* da Sukhumvit, como se regressasse ao inferno. As pessoas continuavam a passar por ele, entre mim e ele. O homem voltou a rastejar até ao centro da rua. Nesse longo regresso, o seu corpo deixou um rasto de urina. Agora, ao lembrar-me dele, sinto vergonha de ter dado a entender que as expectativas dos leitores em relação aos autores são um problema.

45

O motor do barco era voraz. Deslizávamos pela superfície do rio Mekong, como se fôssemos uma flecha imaginária a atravessar um mundo imaginário, feito apenas de céu e de rio — céu imenso, rio castanho. Havia margens, havia horizonte, mas eu virava o rosto com dificuldade.

O ar fazia-me sorrir. Ou talvez sorrisse por causa do brilho nas águas enlameadas do rio. Envolto por aquele motor, pela tarde, por céu e Mekong, eu sorria sozinho, talvez sem motivo.

Íamos a outro país.

Após duas horas num museu sobre a história do ópio, o Makarov e eu queríamos a nossa parte daquele dia luminoso. Apontando para as outras margens, já nos tinham explicado várias vezes que num lado era o Myanmar, no outro era o Laos e nós, claro, estávamos na Tailândia. As pessoas gostavam de dizer "Triângulo Dourado", nós também. Esse nome dava um certo encanto ao lugar. Usávamo-lo a despropósito, fazia-nos sentir exóticos.

Is Myanmar — dizia o barqueiro antes de ligar o motor, com orgulho. *We no go to Myanmar.* E repetindo-se, voltava a apontar para a outra direção — *Is Laos*. O Makarov e eu simulávamos espanto. *We go, yes, we go to Laos* — dizia o barqueiro muito feliz, como se resolvesse uma grande contrariedade.

Yes, we go to Laos.

Olhando para essas margens, não se distinguiam grandes diferenças. No Myanmar, no Laos e na Tailândia, havia o mesmo mato. São isto os países — pensei —, alguém aponta para um terreno e chama-lhe um nome.

Talvez sorrisse por isso, talvez sorrisse por todas as hipóteses que o Laos me levantava.

Quando já estávamos perto, o barqueiro desligou o motor e, com o impulso, chegámos a uma plataforma de tábuas pregadas. Assim que saímos do barco, houve um homem imprevisto que se aproximou de repente e nos tirou uma fotografia — não me custou sorrir.

Avançámos pelo Laos. Com poucos passos, chegámos a um mercado repleto de turistas. As camisolas, chapéus e objetos, em vez de terem escrito "Tailândia", tinham escrito "Laos".

O Makarov e eu ficámos a conversar à espera que chegasse a hora marcada com o barqueiro. Não me lembro do assunto dessa conversa que tivemos no Laos.

Quando caminhávamos na plataforma, antes de entrarmos no barco, chegou o homem da fotografia. Estava impressa e queria vendê-la, aceitava dinheiro da Tailândia, da Europa, da América ou até do Laos, se não tivéssemos outro.

46

Foi também a fazer trabalhos de Sociologia num quarto em que chegava o cheiro do jantar dos vizinhos, em que se ouvia os passos no chão de madeira do andar de cima, que conheci Pierre Bourdieu.

A minha ex-namorada não conseguia ler francês e, também por esse motivo, passou-me um trabalho sobre o livro *L'amour de l'art*, publicado pela primeira vez em 1966.

Eram fotocópias de fotocópias. Havia uma erosão que alastrava naquelas páginas ao ritmo dos semestres. Aos poucos, as letras eram comidas pelo branco, tinham de ser decifradas como se pertencessem a manuscritos ancestrais.

Ir ao museu não pelo museu em si, mas para dizer aos outros que se foi ao museu.

Nesse livro, Bourdieu levanta múltiplas questões com base no estudo dos hábitos de frequência de museus europeus. Evidencia principalmente a divisão de classe social, estabelece uma teoria acerca daqueles que demonstram gosto pela arte como forma de distinção social.

Visitar um país não pelo país em si, mas para dizer aos outros que se foi a esse país.

47

Estive na Tailândia e não é nada assim — diz alguém ou diz uma voz dentro da minha cabeça.

Sempre que tenho de escrever uma afirmação, ouço estas palavras, são pronunciadas com um certo desdém, sugerem que não faço ideia do que estou a falar.

Há semanas, encontrei uma mulher que viveu na Tailândia na década de noventa durante dois anos. De modo muito vago, falei-lhe deste livro. Grande coincidência — disse —, também estou a escrever um livro sobre a Tailândia.

Percebi que se sentiu um pouco ameaçada, como se estivéssemos a escrever o mesmo livro. Mas eu vivi lá dois anos — acrescentou.

Tentei amenizar a conversa e perguntei-lhe se gostava de comida picante. Respondeu que não, detestava, não podia comer nada picante. Comentei que, a esse respeito, deveria ter sido difícil viver na Tailândia. Olhou-me admirada. Não, está muito enganado, na Tailândia, a comida não é picante — disse.

Há pessoas que fazem muita questão de defender as impressões que tiveram — são a verdade.

Estive na Tailândia e não é nada assim.

Se tenho alguém à minha frente a dizer esta frase, sorrio e tento sossegar o meu interlocutor. Não estou interessado nesse tipo de debates. Começo por concordar e, depois, deixo espaço para que se considerem as duas possibilidades. Se insistir na intransigência, continuo a sorrir e tento mudar de assunto.

Estive na Tailândia e não é nada assim.

Se ouço esta voz dentro da minha cabeça, sorrir não resolve o problema. Então, pergunto-lhe se conhece todas as Tailândias e espero pela resposta que não chega. Esta é a minha Tailândia. Como pode essa voz ter a presunção e a arrogância de negar a minha Tailândia?

Acharmos que sabemos o que é um país, que somos capazes de defini-lo, é um sinal da nossa ignorância atroz e da nossa superficialidade também atroz.

Tento não negar as Tailândias dos outros e, por isso, não deixo que uma qualquer voz dentro de mim — sem nome e sem rosto — se julgue no direito de negar a minha Tailândia — é minha, tomo conta dela com zelo, é a única Tailândia que tenho.

48

Como acontece com os aviões, será que os viajantes também são contra os elevadores? Parece haver semelhanças no princípio que rege as duas máquinas. A experiência de subir e descer escadas — especialmente tratando-se de muitos andares — diverge bastante daquela que um elevador proporciona. Entramos no 11º andar, passamos alguns segundos dentro de uma caixa e saímos no rés do chão.

No hotel da Silom Road, o elevador era exterior, separado da rua por vidro. De certa forma, era uma espécie de avião — no caso de assento à janela.

Havia uma grande diferença entre a temperatura na receção do hotel e na rua, entre o ar condicionado e incondicionado. A porta de vidro do hotel era a fronteira entre dois países — um glaciar, outro tropical.

Assim que o Makarov e eu dávamos um passo na rua, os vários taxistas que estavam estacionados à porta começavam a acenar-nos, a chamar-nos — *hello, hello* —, chegavam a acompanhar-nos no passeio — *where you going?*

Estavam ali apenas à espera de *farangs*. Enquanto angariavam clientes, eram tão humildes perante quem rejeitava os seus serviços e, no entanto, se alguém lhes propusesse uma viagem curta e com parquímetro, ganhavam altivez instantânea. Apenas estavam interessados em longas distâncias sem parquímetro ou, melhor ainda, que os requisitassem para um passeio livre pela cidade.

Nos quartos, havia avisos em papel timbrado do hotel a alertar para não se usar aqueles táxis. Quando saíamos à rua e nos cruzávamos com eles, era um pouco constrangedor. Dava a impressão de que não sabiam da existência dos avisos acerca deles. Ou seja, quando nos informavam dos seus preços ridículos, quando nos mentiam, não sabiam que nós sabíamos que nos estavam a mentir. Ainda assim, se continuavam ali todos os dias, era porque alguém aceitava aquelas condições, era porque lhes compensava aliciar todos os *farangs* e esperar.

Quem decida fazer um passeio com esses taxistas também terá a sua própria Tailândia. Regressará a casa com ela.

49

Costuma chamar-se silêncio a sons como aqueles — o canto transparente de uma ave; a existência universal dos insetos, inseparável de tudo; uma brisa muito ténue a passar pela superfície das extensões de arroz.

O verde misturava-se com o amarelo na distância. O som dos meus passos entre o arroz, sobre ervas rasteiras, também era silêncio. O meu peso afundava-se devagar nesse chão almofadado. Segurei um ramo entre os dedos. Eram grossos aqueles bagos de arroz, embrulhados por casca verde, eram delicados ao toque.

Lá ao fundo, longe, distinguiam-se algumas casas entre árvores — pareciam esconder-se. Aqueles campos de arroz cheiravam a terra, eram atravessados por uma estrada fina, onde caberia uma bicicleta, talvez.

Podia ter ficado lá para sempre, assistir à passagem das estações — as monções a trazerem chuva grossa, gotas pesadas; depois o ar mais quente e seco; depois, mais fresco, quase fresco. Como os campos de arroz, também eu me acertaria por esse ânimo. A vida não seria apenas fácil, nunca é, mas pareceu-me por um momento que seria mais simples.

Lá — sem tuk-tuks, sem altares, sem *pad thai*, sem praias daquela cor e mar daquela cor, sem multidões a quererem o mesmo —, também era Tailândia.

Aquele silêncio também era Tailândia.

50

Estávamos na Tailândia. Ou estávamos na China.

Na véspera de regressarmos a casa, já com as malas à espera de serem arrumadas no hotel da Silom Road, decidimos passar a última noite a comer na Chinatown de Banguecoque.

Eu estava quase no meio da estrada, de costas para o trânsito, que passava a poucos metros e seguia para a minha esquerda.

Nesse lado, rodando a cabeça na direção do ombro, assistia aos carros, motos e tuk-tuks que avançavam como um corpo compacto. Para além de todas essas luzes em movimento, a Yaowarat Road — larga — tinha letreiros luminosos, destacados das fachadas dos prédios e pendurados sobre a estrada, cobrindo a paisagem com caracteres chineses e cores. O alcatrão, os carros e as luzes contribuíam com calor para aquela noite.

Estava sentado num banco muito comprido, onde também estavam muitas outras pessoas. Ao nosso lado, casais e grupos inclinavam-se sobre mesas encostadas à nossa, trabalhavam com mãos e boca sobre travessas de comida, atiravam os restos — espinhas, cascas — para baldes de plástico ou cantos para onde não olhavam. À minha frente, todas as mesas estavam cheias de gente assim, cada grupo com as suas conversas, os empregados a contornarem as mesas, as pessoas que podiam levantar-se de repente e as conversas, claro. Levavam travessas de peixe e mariscos — era o que se comia ali — a libertarem vapor, cobertos por molhos grossos e picantes, a contribuírem com calor para aquela noite.

Havíamos começado por Banguecoque, feito centenas de quilómetros para norte, atravessado o país até ao sul e regressado a Banguecoque, tínhamos essas marcas e essas histórias no corpo, mas passámos esse jantar a falar do estúdio de tatuagens onde o Makarov trabalhava em Portugal.

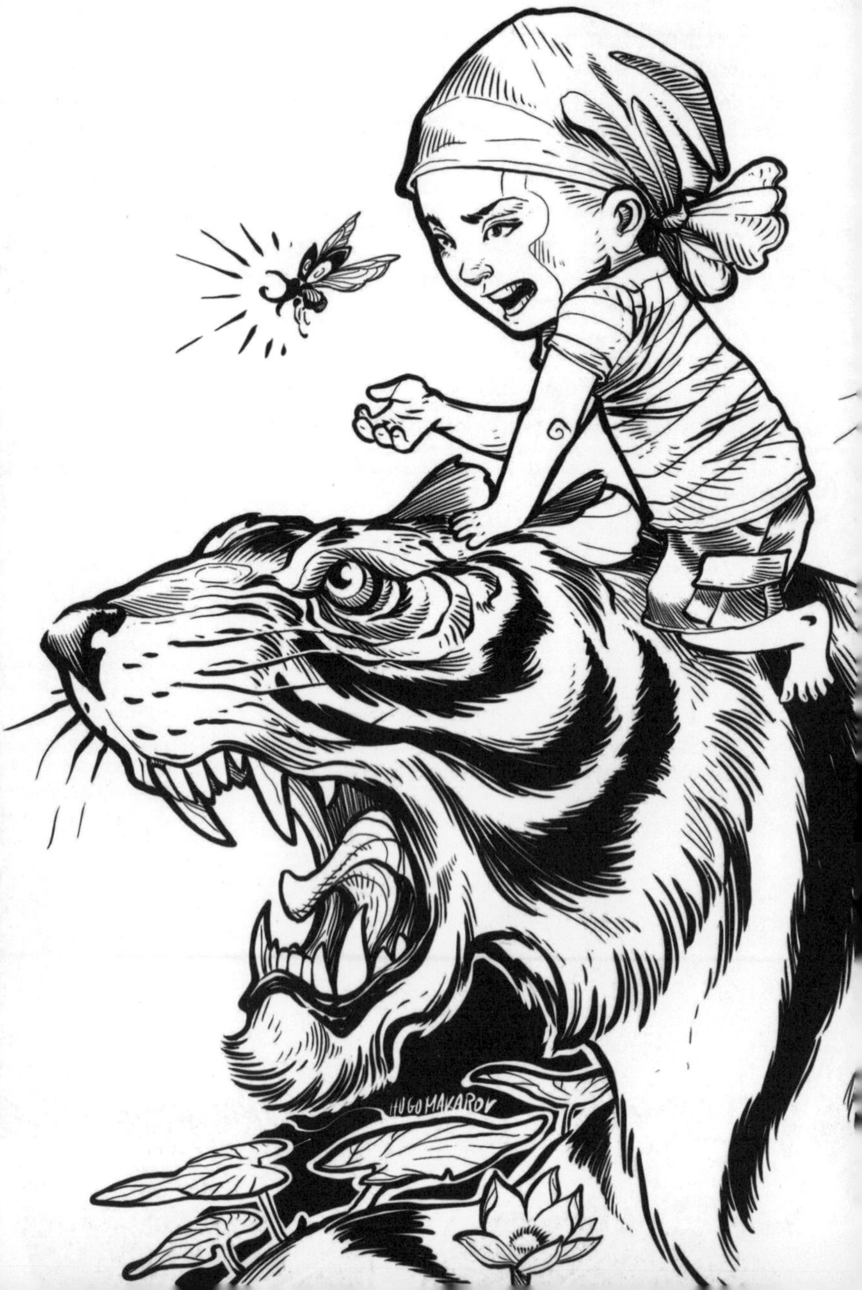
HUGO MAKAROV

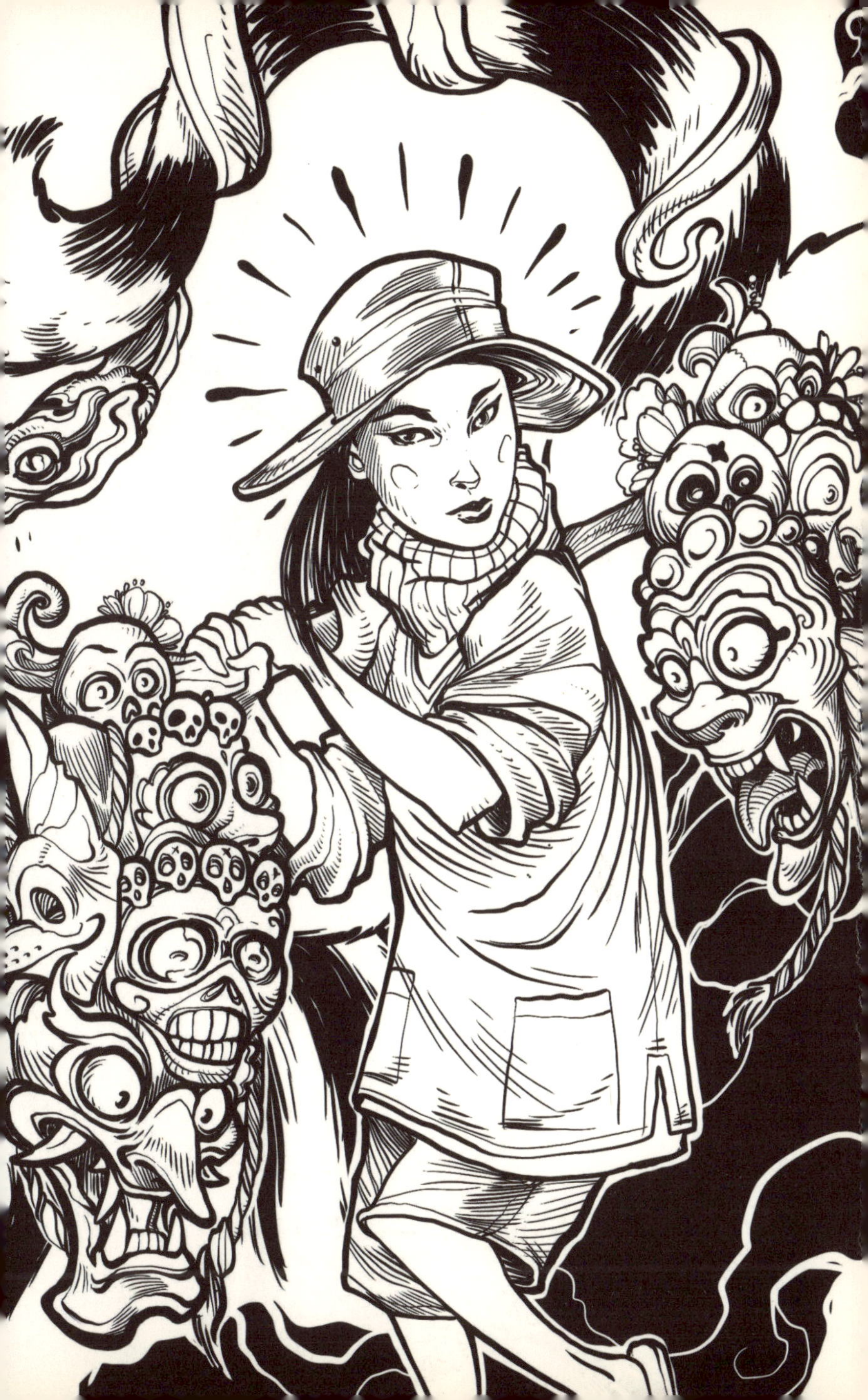

3

1

O avião estava cheio de gente a falar em português — desperdiçavam o idioma com conversas banais.

Inibidos, olhávamos para todos os lados. Habituávamo-nos muito devagar à circunstância de dizermos alguma coisa e sermos entendidos por ouvidos que, acidentalmente, sobrevoassem o alcance da nossa voz. De repente, tínhamos perdido a liberdade de possuir uma língua só nossa.

Na janela, Lisboa era demasiado pequena — os prediozinhos, as autoestradinhas, o riozinho Tejo. Naquele momento, parecia que aterrar seria reduzirmo-nos àquele tamanho — Alices —, seria transformarmo-nos naquelas miniaturas cheias de certezas/ilusões.

Éramos filósofos. Trazíamos melancolia e, ao mesmo tempo, uma enganadora superioridade que, acreditávamos, nos era conferida pela distância percorrida.

Ou seja, não estávamos preparados para a realidade do aeroporto de Lisboa.

Tentando adaptarmo-nos a essa vertigem, tirámos fotografias junto dos nossos cartazes. Esticámos o braço e sorrimos.

"Quando chegares, não te esqueças de onde partiste".

Como é habitual, as minhas palavras a confundirem-me, a obrigarem-me a tomar posições. Partimos de lá ou partimos de cá? Viajámos da Tailândia para Portugal ou, partindo de Portugal, fomos à Tailândia e regressámos?

O Makarov tinha família à espera — pessoas parecidas com ele em detalhes, variações do Makarov noutras idades e noutros géneros, com menos tatuagens. Afinal, havia outro tempo para além daquele de onde vínhamos. Eu desconhecia totalmente esse Makarov com quem falavam.

Encontrando um caminho entre vultos que puxavam malas, que empurravam carrinhos carregados com malas, dirigi-me a uma porta automática de vidro. Queria acreditar nessa promessa. Mas, na rua, não havia tuk-tuks, não havia táxis de cores fluorescentes, não havia mototáxis, não havia aquele ar quente e húmido, tinha acabado a expectativa.

E agora?

2

Viajar também é despedir-se muitas vezes — distinguir outras vidas, considerá-las, e ser obrigado a reconhecer que nunca se poderá vivê-las.

Viajar também é perder.

3

Numa das caixas de plástico, estava a cabeça de um bebé.

Quando comecei a escrever este livro, olhava para a

frente. Este instante era uma possibilidade entre várias. Entendia que o caminho era longo e incerto. Agora, posso olhar para trás e comparar o que aconteceu com o que esperava que fosse acontecer, o que sei com o que imaginava.

A cabeça de um bebé é uma promessa de futuro, exceto se estiver no interior de uma caixa de plástico. Então, é o duro reconhecimento de um potencial enorme que não se concretizou.

Noutra caixa, estava o pé direito de uma criança, cortado em três partes.

Que destino dar ao que esperava que acontecesse e não aconteceu? O mais simples seria acreditar que não há utilidade para esse passado que não existiu. Mas se o quisesse abandonar, onde o colocaria?

Tem de haver uma história triste por detrás do pé de uma criança cortado em três partes.

Havia ainda duas caixas com pedaços de pele tatuada e, na última, estava um coração humano.

Um pedaço de pele tatuada numa caixa de plástico é a resposta às vozes que, como uma ameaça repetida, informam que as tatuagens são para sempre — tens a certeza de que queres fazer uma tatuagem?

Nada é para sempre.

Escrevo estas palavras e penso em quando escrevia as primeiras palavras deste livro — penso no que pensava que pensaria quando estivesse aqui. Com o peso dessa imprecisão, imagino o que ainda falta — as páginas que ainda não escrevi e que, no entanto, já existem nas mãos de quem lê este livro impresso.

Este momento existe como um coração dentro de um corpo. Se for arrancado daqui e colocado numa caixa de plástico, ainda poderá ser considerado este momento ou já será outra coisa?

4

A escrita deste livro começou no momento em que aqueles pedaços de corpo humano foram comprados em Banguecoque. Ou, pelo menos, esse foi um dos vários inícios da escrita deste livro.

Sem esse gesto, não existiriam as palavras que o descrevem. Da mesma maneira, não poderiam existir estas palavras que, de certo modo, refletem sobre ele.

Segundo a conceção budista de *karma*, as ações desencadeiam uma sequência que acabará por regressar a quem a causou inicialmente. Defende-se assim, de modo implícito, que tudo está ligado. Qualquer decisão iniciará uma rede de resultados, que nunca poderá ser completamente controlada ou, sequer, compreendida — um tiro com milhares de ricochetes.

Aprofundando esta ideia — a correlação de tudo com tudo —, talvez seja certo afirmar que a escrita deste livro começou ainda antes da compra dos restos humanos em Banguecoque, talvez se tenha iniciado no que deu origem a esse ato. Ou, com mais rigor, talvez se tenha iniciado no que deu origem a esses atos anteriores. Ou no que deu origem a esses.

Por sua vez, ao existir, este livro desencadeará uma série de reações que ultrapassam o seu âmbito direto, mas que o continuam porque não existiriam sem ele. Nesse caso, o livro não terminará na última palavra da última página, mas sim no fim dos resultados que provocar. Ou, com mais rigor, talvez acabe no fim dos resultados que são provocados por esses. Ou nos que são provocados por esses.

Assim, este livro é um fio condutor. Há algo que vem

de antes de si, que o atravessa e que continua depois de si. Este livro une o que existe desde o início dos tempos com o que continuará até ao fim dos tempos.

5

Estive num dos mercados flutuantes dos subúrbios de Banguecoque, mas decidi não escrever sobre isso.

Apenas escrevi que não escrevi sobre isso.

6

O velho que imagino que serei é o velho que gostaria de ser. Se morrer antes, não chegarei a velho — esse ou outro. Pode também acontecer que chegue a velho mas que, por motivos invisíveis desde aqui, não consiga ou não possa ser exatamente esse velho.

Então, a sua única existência será a minha ideia.

De modo semelhante, a criança que fui é a criança que acredito que fui.

Se a criança que sou capaz de recordar não coincidir com a que realmente fui, então essa criança não existiu realmente. A sua única existência é a minha ideia.

E, no entanto, ambos estão aqui — velho imaginado e criança recordada. E também eu estou aqui, entre eles — para onde me dirijo, de onde venho.

A imperfeição com que recordo e com que imagino não me permite afirmações infalíveis. A única certeza é de que estou em movimento.

7

Logo a partir das primeiras páginas escritas, comecei a sentir que deveria regressar à Tailândia.

Era como se as palavras possuíssem magnetismo, atraíam aquilo a que se referiam. Eu escrevia "*tom kha kai*" e sentia vontade de encher uma colher de caldo de *tom kha kai* — o cheiro a coco, o sabor branco do picante —; escrevia "trânsito" e mergulhava a cabeça na Silom Road — a temperatura, os ruídos, o tamanho dos dias —; escrevia "rio", "mercado", "templo": escrevia "*Phra Maha Suwan Phuttha Patimakon*"; escrevia "Banguecoque" e enlouquecia por segundos.

Talvez esse magnetismo fosse uma desculpa, um engano dos sentidos. Em comparação com a sala nua onde estava fechado, a Tailândia era açúcar.

O distante perde distância quando se vai lá. Os lugares mais longínquos são aqueles onde nunca se esteve. Quando já se foi a um lugar, mesmo que seja preciso atravessar o planeta, fica a saber-se que é possível fazer esse caminho. Deixa de pertencer ao desconhecido sem detalhes, ganha formas imprevistas. Há vida lá como há vida aqui.

Mas a realidade tem quilómetros, milhas aéreas, bilhetes de avião, passaportes. A realidade não é barata.

Às vezes, duvidava desse impulso de regressar à Tailândia. Quais seriam as suas origens? Outras vezes, entregava-me a ele. Podia também ser que essa vontade fosse a continuação de uma sequência de gestos. Talvez a fonte dessa viagem estivesse em momentos e movimentos irreversíveis — a certo intervalo de mim, mas ligados a cada um dos meus gestos. Assim sendo, essa vontade era apenas incapacidade de resistência, resignação perante o inevitável.

8

Banguecoque era um jogo de pequenas peças. Eu era um deus. Podia esticar o braço e mexer na cidade. Se quisesse, podia mudar o lugar dos arranha-céus, segurando-os entre o indicador e o polegar, como peças de xadrez.

Regressei a Banguecoque. De elevador, subi ao 64º andar do número 1055 da Silom Road.

No filme *Se beber, não case 2*, as personagens Phil, Stu, Alan e Mr. Chow sobem nesse mesmo elevador. Interrompendo o silêncio constrangedor, Mr. Chow começa a cantar, acompanhando a música ambiente — canta *Time in a Bottle*, de Jim Croce. Essa canção foi escrita em 1971, quando Jim Croce soube que a mulher estava grávida de Adrian. A letra fala de como o tempo passa e deixamos por fazer o que realmente importa. *Time in a bottle* ganhou novo significado e chegou ao primeiro lugar do top de vendas quando, em setembro de 1973, Jim Croce morreu num desastre de avião. Faltava uma semana para o segundo aniversário do filho.

Fui a Banguecoque com a minha mulher. Não íamos sozinhos no elevador como as personagens do filme, íamos com a lotação máxima. Às vezes, cruzávamos o olhar sobre os ombros de suecos ou de franceses. A música ambiente não era *Time in a bottle*, não havia música ambiente.

No filme, as personagens vão fazer um negócio ilegal, uma troca que envolve sequestros e outros crimes e que termina numa emboscada da polícia, com um helicóptero a surgir de repente a poucos metros da varanda. Na realidade, encontrámos uma multidão de turistas a tirarem fotografias à paisagem, ou a si próprios diante da paisagem, e uma tropa de empregados de uniforme que, corpo a corpo, entregavam uma lista de *cocktails* e, revezando-se, perguntavam se já tínhamos escolhido. Cada *cocktail* custava um pouco mais de duas refeições completas no mercado.

Não escolhemos o *hangovertini*, que estava descrito como "o *cocktail* criado especialmente pelos nossos mixologistas para o elenco e a equipa técnica do filme *Se beber, não case 2 (The hangover 2)*, que foi amplamente filmado nos bares e restaurantes do nosso hotel".

Imagino o elenco e a equipa técnica a filmarem e, ao mesmo tempo, os "mixologistas" a criarem o *cocktail* e a servirem-no. Imagino-os de *hangovertini* na mão. Essa ideia é, também, uma espécie de filme.

O pôr do sol facilita os sentimentos. Talvez por causa dessa hora que mudava a cor do céu — e o céu era enorme — comecei a emocionar-me. O rio Chao Phraya atravessava a cidade como um réptil imenso, a curvar-se lentamente, Banguecoque era enorme e, no entanto, vistos dali, rio e cidade eram também inocentes, estavam nas suas vidas.

Então, lembrei-me das páginas que tinha escrito e pensei: estive na Tailândia e não é nada assim. Achei que, nessas páginas, faltava aquela imagem que era, ao mesmo tempo, grandiosa e terna. Será que me transformei nas vozes que escutava enquanto escrevia o livro?

Então, percebi que também sou essas vozes. Só depois de interiorizá-las se consegue ouvi-las por dentro.

Talvez os outros apenas existam verdadeiramente quando nos transformamos neles, só então somos capazes de concebê-los.

Descemos no elevador. Enchemos os pulmões com ar e pó de alcatifas.

Depois do grande *hall*, as ruas. De novo, a verdade das ruas de Banguecoque — o som, a temperatura, o início da noite.

No passeio, diante de um quiosque parecido com uma banca de jornais, os turistas despiam as calças que haviam alugado — traziam os calções por baixo. Sem elas não teriam podido entrar no bar do topo do edifício. Descalçavam os sapatos que também tinham alugado, recebiam os chinelos de volta.

9

Fui a Las Vegas e a Banguecoque por impulso. Antes das conversas que tive num estúdio de tatuagens em Portugal — Las Vegas — e num bar em Macau — Banguecoque —, nunca tinha pensado em fazer essas viagens.

A minha vida mudou por causa dessas decisões de segundos — quero ir, posso ir, vou.

Este livro não existiria se não tivessem existido essas decisões. Sem ele, não existiria este momento em que estamos a escrever e a ler. O que estaríamos a fazer agora se não tivesse decidido ir a Las Vegas e — sete anos depois — a Banguecoque? O que ocuparia o espaço deste livro nas estantes? O que estaria impresso nestas folhas se estas frases não existissem? Que outro trabalho teria sido feito pelas máquinas que o imprimiram, os braços que o carregaram, os carros que o distribuíram? Como teria sido utilizado o tempo da pessoa que o traduziu/traduz/traduzirá para outro idioma, palavra a palavra, esta palavra e também esta palavra?

Essas decisões de segundos mudaram bastante mais do que apenas a minha vida. Quem foi tocado por elas, pouco ou muito, tomará as suas decisões na realidade que receber marcada por esses efeitos.

Ainda o *karma* — será que as condições em que decidimos influenciam irremediavelmente as decisões que tomamos?

Nesse caso, será que decidi de facto ir a Las Vegas e, depois, a Banguecoque? Será que alguém decide alguma coisa?

10

Nos corredores do Hospital Siriraj, tivemos de encostar-nos várias vezes à parede para dar passagem a macas. Só os doentes olhavam para nós — seguiam de costas, sem urgência e sem ânimo.

Eram corredores com bastante luz natural. Essa claridade tocava o movimento das pessoas que se cruzavam connosco — médicas de estetoscópio ao pescoço, crianças pela mão das mães, homens de braço ligado, de cabeça ligada, gente que avançava com uma segurança que tentávamos imitar. Essa claridade entrava pelas conversas das enfermeiras — raparigas aos pares, bonitas, de uniformes engomados.

Estávamos numa Tailândia sem *farangs*.

O Hospital Siriraj tem mais de duas mil camas. Por ano, recebe mais de um milhão de pacientes em regime ambulatório. É considerado o maior hospital do Sudeste Asiático.

Chegámos a um enorme salão onde estavam dezenas de doentes de pijama diante de uma grande televisão. Encontrei um lugar entre quem estava de pé e apercebi-me de que assistiam a uma cerimónia — militares fardados, discursos solenes, bandeiras da Tailândia. Incrivelmente, a algazarra amplificada dos discursos e das marchas chegava lá de fora.

Seguimos esse barulho e, após alguns corredores e degraus, encontrámos um jardim rodeado de edifícios do hospital, onde estava reunida uma multidão que, no seu centro, guardava aquela pompa. Os fotojornalistas experimentavam todos os ângulos. As bandeiras entornavam as suas cores em ondas, era o vento que incentivava o vermelho, o azul e o branco. Esse mesmo vento, no entanto, não tinha qualquer palavra sobre o sol. Omnipotente, o sol ignorava tudo o que o pudesse perturbar — vento, sombra — e lançava-se sobre todas as coisas, constante e avassalador. Só os militares lhe resistiam, em formação e transpiração.

Havia oferta de bolos, água e fruta. Enquanto comíamos, olhávamos em volta e procurávamos entender. Bebemos água. Tentámos ser discretos quando fomos repetir, mas toda a gente reparou. Uma enfermeira apontou para os bolos e disse: *please*. A minha mulher aproveitou e fez--lhe perguntas. A enfermeira explicou-nos que se tratava de uma corrida.

À noite, na internet, percebi que era uma corrida de recolha de fundos para a construção de um novo edifício no hospital. Tinha começado em Chiang Mai e, sete dias depois, terminado ali. Agradecemos e levámos mais fruta — eu — e mais água — a minha mulher.

Antes de continuarmos o nosso caminho, ficámos a ver as enormes filas para tirar fotografias ao lado dos atores e cantores famosos que tinham participado na corrida.

Eram espantosas as reações das pessoas que cumprimentavam os famosos, que posavam ao seu lado. Os sorrisos dos admiradores abriam-se no momento em que recebiam uma gota de atenção. Se eram raparigas adolescentes, deixavam de saber falar, desfaziam-se em risinhos, enrolavam as mãos umas nas outras, tropeçavam numa timidez súbita.

A fotografia demorava um instante.

Depois, quando os famosos já estavam ao lado de outra pessoa, simpáticos, penteados e confiantes, os anteriores viam no ecrã do telefone como tinha ficado a fotografia, revisitavam o momento de que tinham acabado de sair, excitavam-se e acalmavam lentamente a excitação.

Para nós, os famosos eram anónimos — jovens tailandeses, iguais a tantos outros. Olhando à distância, tentei encontrar-lhes alguma característica que justificasse aquele entusiasmo e, por um momento, perguntei-me se alguma vez teriam sido insultados por uma desconhecida aos gritos, num dos muitos mercados de Banguecoque.

11

Se não conseguimos imaginar o que não conseguimos conceber, se não somos capazes de idealizar para além das nossas referências, se ignoramos o desconhecido, se não levamos o desconhecido em consideração, se apenas podemos criar relações inéditas entre elementos que conhecemos, se não podemos criar elementos inéditos, então apenas somos capazes de verdadeiramente conceber os outros quando nos transformamos neles.

Ou seja, aquilo que sabemos é aquilo que somos. Ou seja, somos o que sabemos.

Assim, apenas conseguimos escrever sobre o que somos. Se, escrevendo sobre o que sabemos — o que somos —, escrevermos sobre o que não sabemos — o que não somos —, essa será uma característica que existe, que está lá, mas que nos transcende, não a conseguiremos identificar no texto, será desconhecida para nós. Existe, mas não existe para nós.

Escrevemos o que sabemos e somos. Mais tarde, no mesmo texto, os outros leem o que sabem e são.

12

Seguíamos uma estudante de Medicina carregada de livros. Quando perguntei o caminho, ela não respondeu, não lhe ouvi a voz. Entendi pela sua expressão e pelo início dos seus gestos que deveria segui-la. Avançávamos entre edifícios do hospital, nas traseiras — enfermeiros de cócoras a fumar, canos a entornarem fios de água suja, pilhas de cadeiras coxas. Em silêncio, tentávamos acompanhar a sua velocidade, não podíamos ter a certeza de que ela tivesse entendido o que lhe pedi. Parecíamos convictos da nossa direção, a rapidez não nos permitia mostras de perplexidade, mas havia aquele silêncio demasiado longo, fértil de dúvidas.

Dúvidas infundadas — a estudante, abraçada aos livros, apontou com o queixo para a entrada de um edifício. Agradeci com vénias.

Ainda estava a aproximar-me de um homem sentado a uma secretária velha de madeira e já ele me indicava um elevador — *second floor, second floor.*

O elevador funcionava. As paredes e os objetos tinham a cor e o gasto das instituições públicas — cinzento, lavado mil vezes, funcional. Os estudantes de Medicina — rapazes e raparigas de uniforme — eram o único elemento novo ali. Tudo o resto, incluindo funcionários, tinha atravessado décadas de uso e tédio.

A mulher que vendeu os bilhetes não sorriu. Rasgou os dois bilhetes muito lentamente de um pequeno bloco, recebeu o dinheiro e, antes de entregá-los, anotou a transação com um lápis mal afiado.

A área de anomalias congénitas do Museu Médico Siriraj estava quase deserta. Os dois estudantes com que nos cruzávamos às vezes pareciam procurar um lugar para estar sozinhos, ficavam sempre incomodados com a nossa presença. Cada passo ou estalido das articulações ecoava pelas salas do museu.

Eram dezenas de fetos e recém-nascidos submersos em líquido, dentro de frascos, com costuras na cabeça. Havia casos de sirenomelia — nascidos com as pernas unidas por uma membrana, comparável à cauda de um peixe ou a sereias de ilustrações —, havia casos de anencefalia — o crânio achatado, ausência parcial do encéfalo —, havia casos de *dicephalus dibrachius dipus* — duas cabeças num único torso —, havia gémeos siameses, como Chang e Eng. Havia bebés atravessados por cortes longitudinais — metades de bebé.

Talvez uma parte da aversão à morte tenha a ver com o rosto de tristeza que os mortos sempre apresentam. Sisudos, parecem contrariados por terem morrido, como se estivessem a ter um sonho mau.

Dava vontade de acordar os bebés do Museu Médico Siriraj e pegar-lhes ao colo — mesmo tendo duas cabeças, mesmo quando perdiam a forma humana em certas partes do corpo, mesmo quando tinham grandes buracos por onde expunham órgãos cinzentos. Dava vontade de consolá-los daquela contrariedade, mas estavam mortos, mergulhados em líquido, inalcançáveis. Não havia nada a fazer, apenas se podia sofrer com eles.

Noutras salas, pernas cortadas pelo fémur, braços rasgados no cotovelo, pés e mãos amputados após acidentes, crânios esmagados de várias formas, corações de diversos tamanhos.

Amparando-se no interior da vitrina, magro, torto, tentando manter a postura, estava Si Quey. Todas as crianças da Tailândia o conhecem. Nasceu na China e chegou a Banguecoque em 1944. Matou um número indeterminado de crianças, tendo-lhes comido o fígado e o coração, acreditando que ganhava energia e longevidade dessa forma. Ao longo de gerações, o seu nome tem sido utilizado por pais que querem amedrontar os filhos. Essa história transformou-se numa lenda. Hoje, muitos não acreditam que existiu de facto.

Si Quey foi condenado à forca nos anos cinquenta. Em busca de razões para o seu comportamento criminoso, estudou-se cuidadosamente o cadáver. Acabou por ser preservado em cera e, desde então, encontra-se exposto no museu. Está nu, a sua pele é castanha. Nas órbitas, tem cera branca a sair-lhe dos olhos.

Como se nos visitássemos a nós próprios, éramos um casal de vivos em visita aos mortos — nossa alternativa e nosso destino. Tinha sido dali que saíram os restos humanos que depois foram vendidos no mercado Khlong Thom — a cabeça de um bebé, o pé direito de uma criança, pedaços de pele tatuada, um coração humano.

13

Todas as decisões são tomadas por impulso.

Pode pensar-se longamente sobre um tema, considerá-lo a partir de vários prismas, calcular-se múltiplos resultados. Essa reflexão poderá durar horas, dias, semanas, meses, anos, metade da vida. No entanto, se existir uma decisão, ela será tomada num único instante. As decisões são sempre a passagem da incerteza à certeza — não/sim.

As reflexões preparam as decisões. As reflexões podem ser medidas por relógios e calendários. As decisões têm sempre a duração de um impulso.

14

Entre setembro de 2009 e agosto de 2013, o Hospital Siriraj foi a residência do rei. Durante esse período esteve aí internado com problemas respiratórios. Cerca de um ano depois, o rei regressou ao Hospital Siriraj para ser operado à vesícula. Foi também no Hospital Siriraj que, a 13 de outubro de 2016, o rei morreu.

15

A ideia de que já não existem lugares por explorar é absurda. A ideia de que tudo está visto é um insulto ao mundo.

Há o equívoco dos pronomes pessoais. Não existe esse

nós de que falam. *Nós* não fomos ao Polo Norte, não fomos à Lua. Eu, pelo menos, não fui. A viagem é sempre um encontro entre *eu* e *tu*, nunca entre *nós* e *vós*. *Nós* e *vós* é demasiado vasto, abstrato — impossível.

Sabemos dizer a palavra "tudo", mas não sabemos entendê-la.

Mesmo os que estiveram lá, a representar-nos sem procuração, ficariam admirados com o tanto que ignoram acerca dos lugares que descobriram. Um lugar nunca se dá por completamente descoberto. Nada que esteja vivo se descobre para sempre.

A virgindade é uma exigência de imbecis.

Conhecer não é ser o primeiro a chegar. Os primeiros não sabem necessariamente mais do que os outros. Os que vão depois, se conseguirem resistir às marés de clichés e *slogans* publicitários — "país dos sorrisos" —, podem continuar a encontrar novidade, mesmo seguindo ao lado de milhares de turistas. Na oferta infinita de perspetivas, há sempre singularidades por enxergar, encontrá-las requer demandas semelhantes às que foram realizadas pelos exploradores convencionais — homens de barba, gente de outras eras.

Continua a ser necessário atravessar oceanos com jangadas, abrir passagem na selva à catanada, enfrentar o desconhecido; mesmo que os oceanos já não sejam literais, mesmo que as selvas já não sejam literais — seguimos em jangadas diferentes, com catanas diferentes, perante um desconhecido exatamente igual.

Quem insiste que tudo está visto tem um "tudo" muito pequeno.

16

Numa dessas ruas interiores, escondidas das grandes avenidas de Banguecoque — vozes de crianças ou de mulheres atiradas de pontos aleatórios, roupas desirmanadas a secar, cheiro a comida, objetos baratos, muito novos ou muito velhos, esquecidos ou largados no chão, encostados a paredes —; numa dessas ruas onde há sempre um homem descalço, empoleirado num banco de plástico — pernas esqueléticas como ramos secos —, sem preocupações, com uma camisola interior, branca, manchada, a fumar, a cortar as unhas ou a palitar os dentes espaçados; numa dessas ruas, dizia, estava uma pequena divisão com porta e paredes exteriores de vidro.

Como se a Tailândia fosse alguma coisa pequena que tivéssemos perdido — um brinco, uma lente de contacto — e precisássemos de ir muito atentos, olhávamos para todos os lados. Nessas ruas, só andava gente que sabia muito bem o caminho e nós. Andávamos perdidos de propósito. De repente, por trás, vinha uma motorizada a acelerar — ocupava quase toda a rua. A minha mulher, às vezes, ficava para trás, tirava fotografias a detalhes. Foi numa dessas ocasiões que reparei naquela fachada de vidro.

Talvez tivesse sido construída para servir de comércio, como uma vitrina. Tinha uma proteção de ferro que, noutras horas, se fecharia com um cadeado.

Nessa divisão única, com poucos metros quadrados, estava um rapaz deitado numa cama de hospital, tapado até ao pescoço, talvez paralisado, a olhar para o teto, e estava uma mulher com idade para ser sua avó, sentada num cadeirão forrado a almofadas, a ler o jornal.

Aquele rapaz e aquela mulher podiam ter muitas histórias. Num risco fino do mapa de Banguecoque, numa rua entre milhares, numa rua perdida, que jamais serei capaz de encontrar de novo, aquele rapaz e aquela mulher pareciam esperar por alguma coisa demorada. Entre sacos de plástico vazios, caixotes, tomadas cheias de fios, objetos desarrumados nos cantos, pratos com restos de comida, parecia que estavam ali para sempre, até que um deles morresse.

17

Eram 10h32.

Ventoinhas, talheres, brinquedos, antenas parabólicas, roupa de cama, montes de sapatos usados, comida, espadas de samurai, mangueiras, telefones, martelos, animais de estimação, amuletos, comandos de televisão, vassouras, matrículas, cortinas de banheira, guitarras elétricas.

Vi as horas num relógio que estava à venda.

É habitual a afirmação de que se pode comprar de tudo no mercado Khlong Thom. *Tudo* — essa palavra.

Passei por uma banca que apenas vendia ponteiros de relógio — pequenos e grandes, exuberantes e sóbrios, feitos de materiais que não imaginava —, ponteiros para relógios de cozinha, de pulso, de mesa, relógios antigos de pé alto.

O sortido exaustivo e meticuloso de ponteiros de relógio, por exemplo, contribuía para a ideia de haver de tudo no mercado Khlong Thom. O próprio facto de existir uma banca dedicada apenas à venda de ponteiros de relógio também ajudava.

Pistolas de vários tamanhos em vitrinas, à vista ou cobertas por um pano que o vendedor destapava com frequência, também favoreciam essa impressão. E soqueiras, punhais, uma metralhadora ou filmes pornográficos de numerosas categorias — autofelácio —, medicamentos ao sol — sobretudo Viagra.

A pornografia é proibida na Tailândia. Vários produtos proibidos na Tailândia pareciam ser permitidos no mercado Khlong Thom.

Em ruas inteiras de peças para carros ou de ferramentas da construção civil, era difícil encontrar mulheres. Para passar um indivíduo, os outros tinham de colocar-se de lado e encolher-se. As artérias interiores do mercado eram muito finas. Talvez corredores como os do mercado Khlong Thom sejam um teste à paciência e à aceitação. Noutro país, com uma vivência diferente do confronto, teria de alargar-se a passagem. Talvez corredores como os do mercado Khlong Thom sejam formadores de personalidade.

Segundo a polícia tailandesa, citada pelo jornal *The Nation*, de 17 de novembro de 2014, foi nesse mercado que os americanos compraram o coração esfaqueado, o pé cortado em três partes, a cabeça de bebé e os quadrados de pele tatuada. Parece-me possível. Não vi restos de corpo humano à venda no mercado Khlong Thom, mas é provável que não tenha procurado bem.

18

Agora, recordo instantes que saltam de uns para os outros, como se não tivessem acontecido em sequência. Recordo fotografias e não uma filmagem.

O dia terminava. Entrava pouca luz pelos prédios altos — quase a tocarem-se no topo — de uma ruela da Chinatown de Banguecoque. Eram homens ou rapazes de cócoras, à porta de um armazém, a comerem tigelas de sopa e, ao mesmo tempo, a fumarem. Tinham passado o dia a descarregar caixotes de camiões, a levá-los com carros de mão através de um labirinto e a arrumá-los no armazém. Estavam em tronco nu, com as camisolas enroladas e presas no cinto. Um deles tinha a tatuagem de um dragão a cobrir-lhe as costas.

Sem pensar, ignorando a timidez, interrompi a conversa, a sopa sorvida, o fumo soprado, e perguntei se podia fotografá-lo. Ele entendeu os gestos e levantou-se.

Olhei para a máquina e tinha a lente errada — demasiado perto. Precisava de mais luz, acreditava, mas usar o *flash* seria excessivo. Os que tinham continuado de cócoras provocavam o que estava de pé, diziam frases avulsas em chinês e riam-se. Disparei duas vezes.

Ele estava impaciente, queria acabar com a situação. Quando ia para virar-se, fotografei-o mais uma vez. Virou-se, agradeci-lhe muito, segui o meu caminho.

Depois da primeira curva — poucos passos —, fui ver o resultado. As duas primeiras fotografias tinham ficado mal. A última, no entanto, tinha sido tirada no instante exato em que o seu pescoço tapou um cartaz e, mais difícil ainda, em que a luz estava certa. O movimento do pescoço — a sua pressa — tinha criado a posição ideal.

Ainda no pequeno ecrã da máquina, recordando o que já tinha escrito e o que ainda queria escrever, percebi logo que aquela fotografia seria a capa do livro — este livro.

19

O homem tinha um chapéu de *cowboy* e um avental. A mulher era mais velha e segurava na carne com uma espátula. O homem tinha um buço ralo.

Encostado à parede, aproximei-me intimidado, avaliando, tentando tomar decisões.

Diante da mulher, havia espetadas já assadas — carne de várias cores —, tiras de toucinho e de febra; à sua direita, dois boiões de molho picante; à sua esquerda, pendentes de uma armação, fiadas de salsichas frescas. Era a mulher que fazia as vendas, séria, cabelo fraco.

Como se gerisse uma situação dramática, o homem virava espetadas sobre o grelhador — metade de um bidão, superfície de brasas sem fumo.

O mercado de Khlong Thom passava à sua volta. Vultos e rostos formavam uma corrente constante. Às vezes, havia alguém que parava por momentos a contemplar essas espetadas, mas, se não fosse rápido, era arrastado pela multidão, o pescoço resistia apenas brevemente, logo a seguir, tinha de acompanhar o corpo.

Os olhos da mulher eram pequenos a fixar-me.

Apontei para as salsichas. Recebi duas, espetadas num longo palito. Paguei — as notas nas mãos brilhantes da mulher, gordura. Encostei-me à parede a comer. Depois de dar a primeira dentada, a meio da segunda, senti um gato a esfregar-se nos meus tornozelos. Olhava-me, como se quisesse falar.

Baixei-me, fiz-lhe uma festa ao longo da coluna vertebral — elegante — e continuei a comer.

20

A pele tem memória. Mas nada se compara ao instante em que a pele sente, em que está a sentir. Vale a pena fechar os olhos e, com a ponta dos dedos, com objetos suaves ou ásperos, com a ponta de outros dedos, ficar apenas a sentir — juntar toda a atenção nesse ponto sensível.

Enquanto escrevo estas palavras, não tenho qualquer tatuagem feita pelo Makarov. Já passei tempo a vê-lo, de luvas cirúrgicas, a traçar contornos ou a preencher figuras com a ponta das agulhas, mas nunca aconteceu que ele desenhasse alguma dessas tatuagens em mim.

Quando acabar de escrever este livro, tenho o plano de, por fim, ter uma tatuagem feita por ele. Talvez fosse necessário tudo isto — viajarmos juntos, incluí-lo num livro — para que esta oportunidade se construísse.

Ao mesmo tempo, parece-me que, de certa forma, também o tatuei a ele. Estas páginas a referirem-no também são uma marca. Quando o livro estiver publicado, acredito que já terei essa tatuagem. Acredito que, quando o livro estiver a ser lido, já terei essa tatuagem. Por isso, a quem chegou até aqui, a quem estiver agora a ler estas palavras, concedo o direito de, se nos encontrarmos pessoalmente, me pedir para lhe mostrar essa tatuagem.

Poderá tocá-la.

A pele é absolutamente individual — o que sente, no momento em que sente, só a ela pertence. É preciso estar vivo para sentir a pele.

Aquilo que imaginamos poderá não se concretizar, mas já existe.

Se chegarmos a esse momento. Se quem está a ler estas palavras tocar a tatuagem que o Makarov fará/fez, não será o leitor a tocar a pele do autor, porque um e outro são entidades dependentes do texto e, como tal, feitas de texto — não têm pele. Nesse caso, serás tu a tocar-me a mim. Esse toque, creio, será uma lição.

Se for impossível, se a distância entre nós não puder ser superada, haverá uma lição a aprender nisso também.

21

A Tailândia tem a maior comunidade do mundo de chineses fora da China. São mais de nove milhões de indivíduos, que constituem cerca de 14% da totalidade da população. É seguida pela Malásia — seis milhões e seiscentos mil chineses — e pelos Estados Unidos — quatro milhões e novecentos mil chineses.

A presença chinesa no país é significativa há mais de dois séculos. A grande maioria tem origem na província de Guangdong, o que justifica a prevalência do dialeto *minnan chaozhou*. Quase todos os ex-primeiros-ministros, membros do Governo e deputados têm alguma ascendência chinesa — próxima ou remota. A dinastia Chakri, à qual pertence a família real, foi criada pelo rei Rama I, que era parcialmente de origem chinesa.

O famoso rei Taksin, seu antecessor, era filho de mãe tailandesa e de pai chinês.

22

Era uma tartaruga grande e sozinha.

A porta abriu-se ao meu lado. Saiu uma mulher de

chinelos, pesada, com uma garrafa de água na mão. Deixou a porta aberta. Eu estava parado naquela rua da Chinatown. Ouvia-se pássaros em gaiolas e motores de motas distantes. A garrafa tinha uma pistola pulverizadora. A mulher apertava o gatilho e apontava longos esguichos a vasos de plantas, pendurados diante de casa ou pousados nos degraus. Não podia baixar-se.

Pela porta aberta, olhei para o interior da casa — uma televisão ligada, um sofá manchado por sebo, balões chineses de papel, fios dourados atados por nós complicados, caixotes, coisas partidas, sombra, pó e um aquário com uma tartaruga.

O animal não parava de nadar. Esticava o pescoço branco até à superfície da água, esticava o corpo ao máximo, tentava firmar-se nas paredes escorregadias do aquário, no vidro — não desistia.

Agora, depois de descrevê-la, todos sabemos da existência dessa tartaruga. Agora, somos capazes de imaginá-la. Esta é a minha maneira de tentar dar um sentido ao seu sofrimento.

Quando acabou a água na garrafa com que regava as plantas, muito devagar, arrastando os pés, a mulher voltou para casa e fechou a porta.

23

Fazem-se grandes elogios a pessoas que, ao longo da vida, mantiveram firme coerência com os seus princípios. Ou seja, perante as mais diversas circunstâncias, não mudaram de posição. A esse respeito, tenho várias perguntas. Será que essas pessoas se questionaram o suficiente? Será que chegaram a fazer esta mesma pergunta a si próprias? Qual a fronteira entre coerência e teimosia? Ser inflexível é uma virtude? Se o indivíduo se transforma — aproxima-se da morte, aprende, desaprende, etc. —, não será natural que os seus princípios se transformem também? Acreditando que os princípios não sofrem qualquer alteração, será razoável defender ao longo de toda a vida, em todas as idades, em todos os ânimos, uma única forma de alcançá-los?

Peço desculpa se forem demasiadas perguntas. Não quero causar constrangimentos, apenas quero dizer: cuidado com a autojustificação — esse medo de perder o que achamos que adquirimos. Somos os principais carcereiros da nossa liberdade.

24

Dezenas ou centenas de pessoas em filas equilibradas — à mesma distância umas das outras —, a subirem e a descerem em escadas rolantes cruzadas, ao longo de diversos andares, como objetos numa linha de montagem.

MBK é a forma reduzida de dizer Mahboonkrong.

Com a exceção do ar condicionado, da iluminação e do chão brilhante, o Centro Comercial MBK tinha muitas semelhanças com os mercados de rua — lojas a abarrotar de produtos empilhados até ao teto, o cheiro a plástico.

Que brinquedo tão importante terá sido esse que nos faltou receber em crianças e que nos despertou o desejo de passarmos a vida inteira a comprar e a acumular porcarias?

O Centro Comercial MBK tem oito andares, mais de duas mil lojas e recebe cerca de cem mil visitantes por dia.

Na área da Siam Square, há onze centros comerciais.

Era uma estação normal de correios tailandeses — pessoas à espera para serem atendidas, a olharem para mim sem perceberem porque estava a tirar fotografias.

Foi aí que os americanos tentaram enviar as encomendas que continham pedaços de corpo humano — a cabeça, o pé, o coração e a pele tatuada.

Como já disse, esses pacotes não chegaram a sair de Banguecoque. Iam identificados como "brinquedos para crianças".

E talvez fossem. Para eles, talvez fossem brinquedos. Eles talvez fossem crianças.

25

As tatuagens não são para sempre — não permanecem ilesas perante o tempo. Há a erosão das linhas — a pele envelhece — e há a erosão do olhar, que é a maior de todas. Ao longo da vida, o tatuado terá muitas relações diferentes com as suas tatuagens.

E, no entanto, tudo é para sempre — o que foi feito não pode ser desfeito. Por isso, as tatuagens são para sempre.

Tudo é definitivo e nada é eterno. Já tinha escrito estas palavras antes, noutro livro. Lá, continuam escritas para sempre. Aqui, nestas páginas e neste momento, estão escritas pela primeira vez.

As tatuagens são metáforas.

26

Atravessei Banguecoque e fui outra vez ao Grande Palácio porque a minha mulher ainda não o conhecia. À entrada, havia uma seta para a esquerda que dizia "tailandeses e guia" e uma seta para a direita que dizia "estrangeiros".

No interior dos muros do palácio, desenhando um caminho irregular entre corpos, seguindo costas, entre milhares de pessoas que queriam ir a algum lado, chegámos ao templo Wat Phra Kaew.

A minha mulher tinha sapatos fáceis de descalçar. Eu fiquei para trás, a desatar nós. Com um joelho assente no chão, estava rodeado de sapatos, chinelos, sapatilhas. Por momentos, pareceu-me que aqueles sapatos possuíam uma identidade, como se fossem pequenas pessoas.

Havia sapatos de sola gasta, curvados por pés andarilhos, como gente com muitas coisas para fazer. Havia sapatos femininos de várias formas, como a fila da casa de banho das senhoras. Havia um par de sapatos femininos com os saltos especialmente altos — cálices de champanhe —, como a mulher mais bonita da sala, a olhar para um ponto distante, indiferente a todas as atenções. Havia sapatilhas enrugadas — cores desbotadas pela poeira. Olhando para aqueles sapatos, parecia-me conhecer os seus donos, saber exatamente quem eram, como se os sapatos fossem o acesso à sua alma mais íntima, mais nua.

Troquei de joelho para continuar a descalçar-me.

Chegou a dona dos sapatos de salto alto — a ponta de um pé embicada com delicadeza, o pé a entrar, justo e suave. Levantei o rosto. Era uma *ladyboy* de cabelos oxigenados. Ao cruzarmos o olhar, sorrimos. Eu ajoelhado, ela lá em cima.

27

Desanimam porque acreditam que já sabem como será tudo. Morreu a surpresa, mataram-na. Estão a fazer qualquer coisa e já sabem que, a seguir, farão qualquer outra coisa. Esperam vez para serem promovidos no emprego, jantam à hora certa, a queda de cabelo é irreversível.

Sentados no sofá, estão lá longe, na ideia que têm, naquilo que acreditam, não estão aqui, a assistir à lenta renovação de tudo. São como aqueles que seguram o bilhete e o passaporte, que só querem entrar no avião — só querem ir para a fila, olhar muitas vezes para o relógio e entrar no avião. Depois, são os primeiros a tirar o cinto de segurança e a saltar para o corredor, só querem sair do avião — só querem que alguém abra a porta para saírem do avião.

Calma. Olhem em volta. A velocidade é esta.

O que acontece até ao destino não é certo. A viagem é essa incerteza. Quem se convenceu de que já sabe como será tudo — como acaba este livro — está errado.

28

Tínhamos os olhos cheios de deserto do Mojave — uma superfície imensa de castanho misturado com cinzento, terra ou rochas e manchas avulsas, muito espaçadas, de verde esbatido, verde acastanhado, verde acinzentado. As árvores-de-josué, pontiagudas, como espasmos de mau génio, cravavam as suas lâminas no céu, maior do que o mundo, abrasador e intransigente. Talvez fosse nisto que iam a reparar pelas janelas, em silêncio. Ou talvez assistissem aos seus próprios pensamentos. Eu olhava pelo espelho retrovisor — de um lado, o rosto do meu filho e, do outro, o rosto da minha enteada, ambos refletidos no vidro das suas janelas. A minha irmã ia ao centro, entre as crianças, a olhar para a frente, na mesma direção que a minha mulher e eu. Nesse para-brisas, estava a I-15, Interstate 15 — uma estrada de muitas faixas, carros que nos ultrapassavam ou que eram ultrapassados por nós, enormes carros americanos, brilhantes, polidos, com matrículas da Califórnia, do Nevada e, às vezes, do Arizona ou do Utah.

O nosso carro ia cheio. Tínhamos carregado as malas de manhã, no Sunset Boulevard. Depois de todas as autoestradas e saídas da área metropolitana de Los Angeles — as setas para Glendale, Pasadena, Riverside, San Bernardino —, aquela longa estrada sempre em frente. As bombas de gasolina eram uma distração na paisagem de quilómetros e quilómetros, milhas e milhas. E, sem explicação, em pontos arbitrários do deserto sem fim, parques de caravanas brancas, estacionadas para sempre, separadas da imensidão por redes de arame.

Parámos para comer no In-N-Out Burger de Barstow. Estávamos na América. Todas as outras pessoas — empregados, gente em viagem — também estavam na América, mas não reparavam tanto nisso. Para eles, a América era tudo, não consideravam mais mundo.

No carro, em silêncio, já tínhamos passado a fronteira que separa os estados da Califórnia e do Nevada, marcada por uma cordilheira de hotéis e casinos do lado do Nevada, colada ao risco — torres e edifícios gastos pelo sol; néones com letras apagadas, caídas, penduradas por uma perninha; montanhas-russas em ruínas; ferrugem; piscinas com limos; um letreiro eletrónico a repetir "JACKPOT $1.000.000".

O deserto testava-nos. Apesar de ainda faltar tempo, eu fixava o horizonte e esperava que, a qualquer momento, por trás de cada curva, depois de cada pequena elevação, surgisse Las Vegas — ilha do exagero no meio do deserto —, como um sonho longamente acalentado.

Só a minha irmã e enteada iam a Las Vegas pela primeira vez. A minha mulher ia pela segunda vez. O meu filho mais novo ia pela terceira vez. Eu ia pela quinta vez.

29

Os laços negros com um alfinete custavam dez *bahts*.

Junto ao Grande Palácio, havia multidões vestidas integralmente de negro. Os polícias controlavam essas turbas, indicavam-lhes o caminho entre as barreiras de ferro, mandavam-nas parar para prevenir congestionamentos de trânsito pedestre, ajudavam-nas a atravessar a rua.

Havia uma área de água e comida grátis — enormes panelas de arroz distribuído por voluntários em pequenos pratos de papel. Como sempre, estava muito calor. A minha mulher e eu aproveitámos para beber água. Os voluntários ajudaram-nos a encher o copo uma vez, várias vezes.

À porta de uma tenda, sentadas à sombra, duas enfermeiras de *collants* brancos esperavam enlutados que se sentissem indispostos e conversavam sobre assuntos discretos.

Ao fundo, estava o espaço para monges, ficava por baixo de um toldo e era ocupado por dezenas de cadeiras de plástico. Àquela hora, tinha apenas três monges diante de uma ventoinha elétrica.

Às vezes, passavam longos grupos de monges em fila indiana, dois a dois. Iam a cantar ou a rezar e tinham prioridade, seguiam por uma faixa exclusiva e, sem parar, passavam a toda a velocidade pelas filas de pessoas enlutadas.

As mulheres tinham saias negras até aos tornozelos, blusas negras abotoadas até ao pescoço, mangas negras até aos pulsos. Estavam muito bem penteadas e maquilhadas, usavam um creme que lhes embranquecia o rosto. Muitas carregavam quadros emoldurados com imagens do rei.

O muro do outro lado da rua, oposto ao muro do palácio, tinha pinturas realistas do rei — a tocar piano e a fazer festas a um gato, a estudar pilhas de livros, a tirar fotografias, a pintar quadros, etc. As mulheres aprumavam-se, seguravam as suas malas negras com as duas mãos, e eram fotografadas ao lado dessas cenas.

Bhumibol Adulyadej foi o nono rei da dinastia Chakri — por isso, também foi chamado Rama IX. Chegou ao trono em 1946 e reinou durante setenta anos e cento e vinte e seis dias. Durante o seu reinado, a Tailândia teve trinta primeiros-ministros.

Entre 2008 e 2013, liderou a lista dos monarcas mais ricos feita pela revista *Forbes*, com uma fortuna avaliada em trinta mil milhões de dólares.

Lembro Kwan — o seu rosto recortado pela paisagem, pela selva, no balcão aberto da sua casa —, a comparar o rei ao próprio pai, a dizer em voz baixa que não sabia se tinha mais consideração pelo rei ou pelo pai. Kwan, trémula de deferência, a dizer que o rei trabalhou todos os dias em favor da Tailândia, abnegadamente. Visitou a sua aldeia — Mae Kampong —, foi a lugares do país quase inalcançáveis de tão remotos. Kwan só era capaz de imaginar esses lugares.

O rei foi uma figura de unidade nacional em vários

períodos de incerteza política. Nas horas que se seguiram à sua morte, formou-se um mar de rostos fúnebres em redor do Hospital Siriraj.

O transporte do corpo do rei entre o hospital e o Grande Palácio — onde ficou a ser velado no templo Wat Phra Kaew — foi acompanhado por centenas de milhares de pessoas vestidas de negro que, em sinal de deferência, se baixavam à sua passagem, de joelhos no chão e rosto curvado sobre o peito — incluindo membros do Governo e restantes autoridades do país. Nos dias seguintes, uma boa parte dos jornais foram impressos a preto e branco. Também os sites da internet foram publicados a preto e branco. Os canais de televisão tailandeses passaram exclusivamente histórias e notícias da família real. Vários canais de televisão estrangeiros foram substituídos por transmissões a preto e branco do rei a tocar saxofone.

Os lugares de diversão foram encerrados durante um mês — a Khao San Road em silêncio, a Bangla Road de portas fechadas.

Foi decretado um ano de luto nacional.

Comparando com viagens anteriores, havia uma quantidade invulgar de pessoas enlutadas, havia grandes cartazes a recordar o rei, as fotografias do rei nas paredes das casas ou dos restaurantes tinham faixas pretas, as enormes fotografias nas ruas tinham flores negras nas bandejas dos seus altares.

Para além disso, havia já fotografias públicas do seu sucessor — Maha Vajiralongkorn, Rama X —, seu filho. Usava um longo casaco dourado, uma grande medalha, uma espada, segurava um par de luvas brancas. Será coroado apenas depois da cremação do pai. Essa cerimónia acontecerá a 26 de outubro de 2017 — cerca de um ano e duas semanas após a sua morte.

Onde estaremos nós a essa hora? Ou, se preferirem, onde estávamos nós a essa hora?

30

Na varanda, sobre os telhados, a voz da senhora Navinee Phongthai parecia uma brisa que, àquela hora da manhã, era capaz de amenizar o início do calor de Banguecoque. Explicou que, em casa, entre a família, lhe chamavam uma alcunha que significa "folha". Ali, não era difícil imaginar uma folha a planar sobre todos aqueles telhados, a dirigir-se ao rio e, talvez, a sobrevoá-lo, a chegar muito longe, a perder-se de vista.

Os portugueses foram os primeiros ocidentais a chegar ao Sião. Em 1511, navegaram pelo rio Chao Phraya, o mesmo que tínhamos à nossa frente.

No século XVIII, quando Ayutthaya capitulou perante as violentas invasões birmanesas, os descendentes de portugueses que lutaram ao lado de Sião foram recompensados com os terrenos de Santa Cruz. É ainda aí, na margem do rio, que vive a comunidade descendente de portugueses, a que se chama Kudichin.

A senhora Navinee nasceu e viveu toda a sua vida naquele bairro. É descendente dos setenta e nove soldados e administradores que, originalmente, ali chegaram. Hoje, a comunidade católica com essa ascendência é composta por duzentas famílias. A diocese é a proprietária dos terrenos. A renda é paga anualmente à igreja.

"Baan" significa "casa". "Baan Kudichin" — casa de Kudichin — é o nome de um sonho da senhora Navinee. Ao longo da visita, detendo-se em todos os objetos, olhando-os com afeto, naquele dia de luz, a senhora Navinee contou-nos histórias onde misturava a presença dos portugueses no país e naquele bairro de Banguecoque com as memórias da sua família. O museu que construiu, aquela *baan*, é uma lição de várias disciplinas.

Limão, cônsul, salada, porta, coco, pai — palavras portuguesas deram origem a palavras tailandesas. A senhora Navinee juntou-as em cartazes. Fez o mesmo com imagens de doces trazidos pelos portugueses. Contei-lhe que, em diversas ocasiões, provei fios de ovos na Tailândia — *foi thong* — e que eram iguais aos portugueses. Os olhos da senhora Navinee brilharam de felicidade. Noutras salas, avançando pelo museu, passámos por mobílias e objetos de casas antigas — crucifixos, imagens de santos, cestos, fotografias de família, ferramentas de marceneiro, serviços de jantar, rádios, ferros de engomar a brasas, lençóis de cama. Aqueles utensílios condensavam vidas. A senhora Navinee olhava para eles e, na madeira, no ferro, na loiça, conseguia identificar o toque e, talvez, os segredos de gerações passadas, gente que tinha conhecido quando ainda era a menina Navinee. Enquanto dávamos passos muito curtos e conversávamos, havia instantes em que essa menina aparecia nos olhos da senhora Navinee. Estávamos ali, na Tailândia. Éramos dois portugueses a falar na nossa terra. Muitos dos objetos do museu podiam ter sido comprados na loja do senhor Heliodoro, podiam estar expostos no louceiro da minha madrinha, ou postos ao uso nos almoços de domingo da minha infância.

A senhora Navinee foi a Portugal uma vez. Foi lá ver o que já sabia. Gostou dessa viagem, absorveu todos os detalhes — recorda-os muitas vezes —, mas não precisava de ter ido a Portugal para ser portuguesa.

Depois de subirmos as escadas de madeira, no fim do

museu, a varanda erguia-se sobre todas as casas do bairro de Santa Cruz. Aos nossos pés, não se distinguia o labirinto de vielas que tínhamos atravessado para chegar ali — portas com crucifixos, reproduções da última ceia, raparigas equipadas para jogar futebol. Esses caminhos estavam camuflados por uma superfície de telhados — chapas de zinco enferrujadas, telhas de várias cores e idades. E, à direita, a torre da igreja de Santa Cruz; e, à esquerda, o telhado bicudo do templo Wat Kalayanamit.

31

Uma vez, na Costa do Marfim, quase me afoguei. Tinha água pelos joelhos, tinha água pela cintura, tinha água pelo peito e, de súbito, não chegava com os pés ao chão e dei por mim a nadar contra a corrente e, mesmo assim, a ser levado.

Outra vez, em Hong Kong, quase fui atropelado. Distraído, com o trânsito a circular em sentido diferente, dei um passo para atravessar a estrada e bati no meio de um carro que ia a alta velocidade. Se tivesse avançado um segundo ou dois segundos antes, teria dado um passo para a frente do carro e não estaria aqui a escrever estas palavras.

Outra vez, em Odivelas, o meu carro derrapou numa curva, deixei de conseguir controlá-lo, bati num carro que estava ao lado, bati no separador central e, a girar sobre mim próprio, voltei para trás, atravessando a estrada. O carro não era velho, mas o preço do arranjo não compensava o seu valor.

No mar da Costa do Marfim, enquanto nadava contra a corrente, lembrei-me de tudo o que imaginava para o futuro, de todos os que me esperavam e, por instantes, fiquei profundamente triste — afinal, os sonhos eram vãos, ia perder para sempre o olhar daqueles que amava.

Caído num passeio de cimento em Hong Kong, sentado no chão, olhava para os dois lados, tentando perceber o que tinha acontecido. Quando me dei conta, fiquei abismado com a rapidez com que podia ter perdido tudo.

No interior do carro, agarrado ao volante, no IC17 de Odivelas, depois dos choques, dos estrondos, fiquei a dar voltas sem conseguir distinguir imagens no para-brisas. Foi muito rápido e muito lento, ao mesmo tempo. Lá fora, no mundo, foi muito rápido; dentro, no interior do carro, foi muito lento. Durante esse tempo, fiquei à espera de que parasse, sem poder fazer nada, frágil perante os caprichos daquele instante e daquela chapa. Quando o carro parou, senti o meu corpo — estava inteiro — e, a tremer, saí para ver se tinha morrido alguém nos outros carros.

Não sei como vou morrer, não sei se vou ter tempo para pensar. Mas, muitas vezes, quando tenho de fazer avaliações importantes, imagino como seria se estivesse para morrer. E estou. Quem está vivo, está para morrer.

Os moribundos libertaram-se das ilusões. Nessa queda, o que não importa é leve, desprende-se e fica para trás. São acompanhados apenas por aquilo que pesa. Morrem nus.

O julgamento dos moribundos é mais livre.

Não saber o que se quer é um luxo de quem tem demasiadas possibilidades. Os moribundos sabem sempre o que querem.

A morte é uma balança.

Talvez quem esteja a ler estas palavras já saiba como vou morrer, como morri.

32

O rosto da minha irmã, iluminado pelas cores intermitentes das luzes.

Fingindo que não me importava, tive de acompanhar o meu filho mais novo numa enorme montanha-russa — voltas de cabeça para baixo, gritos, etc. À última hora, tentei dissuadi-lo com a oferta de presentes muito mais caros do que o bilhete para a montanha-russa. Mas ele tinha mais vontade de mostrar que já era grande e, por isso, lá fomos. Ainda bem, gostei de ver como já era grande.

A minha enteada, de mãos dadas com a mãe — juntas. Las Vegas estava cheia de rockabillies. Nos passeios da avenida principal, nos casinos, entre as *slot machines*, nas filas para qualquer coisa, havia sempre rockabillies — mais novos, mais velhos, mais magros, mais gordos, homens, mulheres e crianças, famílias inteiras. Durante aqueles dias, estava a decorrer em Las Vegas a convenção de rockabillies.

Anos antes, em Portugal, no estúdio de tatuagens, quando a Nazaré me convenceu a ir a Las Vegas pela primeira vez, explicou-me que as suas viagens eram feitas para estar presente exatamente nessa convenção. Ou seja, foi por causa de ela ir a essa convenção que eu fui pela primeira vez a Las Vegas.

Nesses dias, quisemos ver ou rever tudo — turistas. Numa ocasião, atravessámos a avenida principal — Las Vegas Boulevard, *the Strip* — de autocarro e fomos à Fremont Street, onde a cidade começou, com algumas imagens icónicas como o néon do *cowboy* com o polegar esticado.

A minha mulher e eu queríamos mostrar aos nossos filhos e à minha irmã a capela onde nos tínhamos casado. Mas, quando estávamos quase a chegar, faltavam três ou quatro quarteirões, o autocarro virou para a esquerda e continuou por ruas secundárias. Tivemos pena durante alguns momentos, mas, logo a seguir, ultrapassámos esse inconveniente. Ficará para a próxima.

33

Nos últimos três anos, levei as minhas irmãs a Marrocos, a Nova Iorque e, assim que acabar de escrever este livro, temos viagem marcada para a China.

Antes, eram as minhas irmãs que me levavam a passear. Agora, sou eu que as levo a elas.

34

Era a escrivaninha do tio da senhora Navinee. Tinha uma máquina de escrever antiga, com caracteres tailandeses. Talvez por passar muito tempo a olhar para estas letras — este alfabeto latino —, fico especialmente impressionado com outros alfabetos. Depois desse efeito, apreciando aqueles símbolos miudinhos e retorcidos nas teclas, apercebi-me de que também estas letras — estas — são constituídas por símbolos pequenos e retorcidos.

Na escrivaninha, havia também papéis — postais, envelopes, recibos, atestados de saúde, certificados de notas escolares, documentos de embaixadas, uma etiqueta para a bagagem de cabine — British Overseas Airways Corporation —, um bilhete de avião — lugar 9. Havia também um livro sobre a Inglaterra, que tinha na capa uma fotografia com uma povoação piscatória, um porto com barcos e uma rocha com gaivotas.

Quando falava da viagem que o tio fez para estudar na Inglaterra, a senhora Navinee ainda tinha ecos de assombro na voz.

A raiz dessa admiração estava documentada nos quadros pendurados sobre a escrivaninha, em muitas fotografias a preto e branco. Algumas dessas imagens apresentavam o tio da senhora Navinee já instalado em Inglaterra, diante de canteiros de flores, perto de estátuas, ou em casa, confortavelmente sentado numa poltrona, ao lado de um gira-discos. Mas a maioria das fotografias mostrava o dia da sua partida, em Banguecoque. Em várias poses junto da família, em grupos separados ou todos juntos — dezasseis pessoas —, o tio da senhora Navinee tinha gravata, óculos de sol e um colar de flores à volta do pescoço.

Naquele tempo, se alguém viajasse, a família inteira ia despedir-se — disse a senhora Navinee, que talvez fosse uma pequena criança naquelas fotos dos anos cinquenta, uma das várias meninas vestidas de branco, com laços brancos nos cabelos.

Olhei para os rostos sérios daquelas pessoas de mãos estendidas ao longo do corpo. Penteados, engomados — as melhores roupas —, muito direitos diante das paredes de uma casa onde estavam juntos ou ao lado de um grande carro. O tio, magro, a inclinar-se para lhe serem colocadas as flores ao pescoço por um homem mais velho — momento solene. E, por fim, junto das grades do aeroporto — a família encostada a vedações de arame, a olhar para um grupo de viajantes que atravessava a pista em direção ao avião. Eram parentes, eram homens e mulheres a olhar para longe, eram as tais meninas de laço e rapazes de calças — com ou sem sapatos. Estavam alerta para tudo, apenas se iriam embora quando o avião levantasse voo e deixasse de distinguir-se no ar.

35

Onde existir distância, há viagens que podem ser feitas.

Pode viajar-se em muitas dimensões. As mais comuns são as viagens no espaço e no tempo. As viagens no espaço acontecem igualmente no tempo — têm duração —, mas as viagens no tempo também acontecem no espaço, porque somos físicos, existimos sempre num lugar.

Entre aqui e aí, entre eu que escrevo estas palavras e tu que as lês, há viagens que podem ser feitas. Essas viagens serão feitas no tempo, porque estamos em momentos diferentes, mas também serão feitas no espaço — mesmo que o teu presente esteja no mesmo lugar do meu futuro, mesmo que o meu presente esteja no mesmo lugar do teu passado, mesmo que tu sejas eu.

36

Todos temos um fígado. Nos homens adultos, pesa cerca de um quilo e meio. Nas mulheres, pesa um pouco menos. Quantas vezes nos lembramos dele?

Nós em Filadélfia — irmã, filho mais novo, enteada, mulher, eu. Íamos pelos passeios daquelas ruas de prédios, cruzávamo-nos com gente que vinha do escritório, que tinha saído para fumar um cigarro à porta. Não nos viam, passavam por nós, como se fôssemos habituais em Filadélfia.

Seguíamos um caminho de longas avenidas.

Na escala, tivemos horas suficientes para sair do aeroporto e ir para o centro de Filadélfia. Chegámos ao museu quando faltavam poucos minutos para fechar. Na bilheteira, perguntaram-nos se não preferíamos voltar no dia seguinte. Sorri, no dia seguinte, estaríamos a milhares de quilómetros dali.

Fui com o meu filho — já era grande. Não se deixou perturbar pelas dezenas de caveiras humanas, pelos fetos ou pelos bebés dentro de frascos. Eu tinha o treino do Museu Médico Siriraj.

Comparando os dois, o Museu Mütter era mais Europa — embora estivesse situado na América —, era mais século XIX, mais encerrado.

Quando descemos ao andar de baixo — os nossos passos amortecidos pela alcatifa vermelha que cobria os degraus —, reconheci logo os modelos em gesso dos gémeos Chang e Eng.

Estavam representados apenas da cintura para cima, em tronco nu. As suas formas tinham sido fixadas em gesso depois de mortos. Notavam-se as coseduras nas barrigas — talvez da autópsia, talvez da tentativa de separação. A ligação de cartilagem que lhes unia os esternos era grossa, ficava mesmo no centro do peito. Tinham cara de mortos.

Nessa mesma vitrina, por baixo, iluminados com cautela, estavam os seus fígados fundidos.

Não sou um conhecedor de fígados, mas impressionou-me olhar para aquele órgão. Quando ouvi falar dos gémeos Chang e Eng pela primeira vez, estava incrivelmente longe deles — no espaço e no tempo. Naquele momento, no entanto, estávamos ali, no mesmo lugar, à mesma hora — o meu fígado tão perto dos fígados deles.

37

Não sou o meu corpo, não sou o meu nome, não sou esta idade, não sou o que tenho, não sou estas palavras, não sou o que dizem que sou, não sou o que penso que sou.

Não sou o meu corpo porque existo fora da minha pele, para além dela, transcendo-a delicadamente ou à bruta. Não sou o meu nome porque não sou *apenas* o meu nome. Não sou esta idade porque esta idade só existe agora — eu fui e serei. Não sou estas palavras porque eu não sou *apenas* palavras. Não sou o que dizem que sou porque aquilo que sou não se diz. Não sou o que penso que sou porque penso vagamente que sou mais do que consigo pensar. Essa ideia é demasiado vaga e eu sou concreto no mundo concreto, sou real no mundo real.

Sou um caminho.

Sou alguma coisa que vem de antes, que me foi entregue pelo meu pai. Também ele a recebeu. Foi-me entregue em palavras, no tom de voz que ainda sou capaz de ouvir, nos erros ortográficos que o meu pai deixava em pequenos papéis ou em agendas — amo esses erros ortográficos —, no silêncio, no olhar, na presença, no toque, no cheiro, no cuidado, na memória, no exemplo, em tudo o que o meu pai foi para mim — uma força que não fui capaz de reconhecer completamente no seu tempo, mas que se impregnava em tudo o que eu era e aprendia a ser.

Sou alguma coisa que avança.

Sou alguma coisa que continuará depois de mim, que entrego aos meus filhos. Quero muito que lhes traga valor, que lhes enobreça a experiência de estarem vivos. Tento entregar-lha em palavras — estas palavras escritas, a desejarem ser claras, como esperança, como uma manhã de claridade —, no meu amor — o melhor de mim — e em todas as minhas imperfeições — eu.

Sou este caminho.

Já vivi muito. Quando viajo na minha memória, tenho lugares incríveis onde ir. As ruas da minha terra são infinitas, caminho nelas para sempre. Vou da loja do senhor Heliodoro à carpintaria do meu pai, atravesso a terra inteira, digo bom dia a pessoas que já morreram. Entro na Sociedade a qualquer hora e é sempre domingo à tarde — o relato do futebol no rádio —, ou é sempre sexta à noite — ensaio da banda filarmónica —, ou é sempre matiné de cinema, jogos de matraquilhos, velhos a baterem peças de dominó na mesa. Sou eu que decido. Faço o caminho para a escola com a mala às costas, não pesa porque vou a conversar com o meu amigo Belarmino, só pensamos em brincar, jogar à bola na rua de São João.

Aonde quer que vá, levo tudo isto comigo. Chego a Banguecoque e, num copo de água, encontro os copos de água da minha madrinha, enchidos por um jarro tapado com um guardanapo de pano — ouço a sua voz a dizer-me: bebe. Chego a Las Vegas e, numa sombra, encontro as sombras do quintal da nossa casa, a minha mãe em algum lugar, o meu pai em algum lugar, as minhas irmãs em algum lugar.

Quando me falaram da morte pela primeira vez, acreditei logo. A partir desse dia, nunca mais vivi como se estar aqui — este ar, esta luz — não fosse acabar. Pelo contrário, na maioria das vezes, vivi com uma ânsia exagerada de consumir ao máximo, de conhecer ao máximo, de ser sempre o último a sair da festa.

Talvez essa obrigação de viver tenha nascido da notícia repentina — a meio de qualquer enredo irrelevante — de que o meu pai tinha três meses de vida. O médico a dizer essas palavras à minha mãe, a minha mãe a dizer essas palavras às minhas irmãs, as minhas irmãs a dizerem-me essas palavras a mim. A morte certa, real, e, no entanto, o meu pai ali, ainda ali, moribundo, eu a poder dizer-lhe tudo — qualquer coisa — e nada do que lhe pudesse dizer a mudar a certeza de perdê-lo para sempre. Durante três anos, o meu pai ali, cada vez mais morto, sempre com três meses de expectativa de vida.

Ou talvez tenha nascido antes, quando eu era um adolescente preso numa terra de mil pessoas, sempre as mesmas todos os dias. Adolescente imortal, sem imaginar que seria possível perdê-las, sem imaginar que passaria a vida inteira a preservar as memórias desse tempo e desse desejo — a cuidá-las, como cuidaria de um jardim.

A adolescência é difícil em qualquer geografia. Num lugar de mil pessoas — com televisão e sonhos —, os adolescentes sabem claramente o que não querem. Com quinze, dezasseis, dezassete anos, repeti tantas vezes para mim próprio a vontade de sair dali que talvez essa voz se tenha entranhado.

Já vivi muito. Se eu morrer de repente, se algum médico descobrir que tenho três meses de vida, quero que saibam que vivi muito. Estou profundamente convencido de que vivi muito. Vou ter pena de morrer, vou ter pena de deixar aqueles e aquilo que cá fica, mesmo sabendo que nada do que deixo é permanente e que, um dia, tudo morrerá também. Mas, agora, neste momento, quero que saibam que vivi o máximo que pude. Tenho muitos arrependimentos — não soube fazer melhor —, mas não desperdicei tempo. Valorizo tudo o que vivi.

Tenho quarenta e dois anos. Quando olho para esta idade, parece-me imensa. Se os meus filhos tiverem de assistir à minha morte, quero que saibam que tenho orgulho em cada um dos seus gestos, dos seus pensamentos, e que o meu amor por eles é muito maior do que eu. Independentemente de eu estar aqui ou não, continuará para sempre.

38

Era uma fila de escritórios — blocos homogéneos, rasos, de geometria simples, muito betão. Alguma vegetação ajardinada, alimentada com adubos, desenhada por tesouras de poda, desconhecedora da natureza. Árvores tísicas, impotentes perante aquele sol opaco, distribuído de igual modo perante tudo. Carros estacionados, altos — pneus novos, carroçarias polidas, a refletirem o sol. Aquela fila de escritórios — portas numeradas — estava separada de outras, iguais, por estradas de várias faixas, carros a velocidade constante, de semáforo em semáforo. E o silêncio, preenchido por trânsito sem surpresas, por helicópteros ocasionais.

A West Post Road era perpendicular à Dean Martin Drive. De onde eu estava, olhando nessa direção, via os prédios de Las Vegas lá ao fundo. Entre esses edifícios, estaria a avenida principal, com famílias como a nossa, com grupos de rapazes a prepararem a noite.

A tarde começava a abrandar, mas o sol era ainda árido, químico, queimava os olhos. Era sol do deserto que atravessava o céu do deserto.

Ali, Las Vegas começava já a diluir-se nas grandes superfícies de terrenos estéreis — imensos baldios. Essa infertilidade começava a preparar-se naqueles quilómetros de passeios sem gente, que não tinham sido gastos por gente, naquelas construções impessoais.

Entrou no estacionamento um jipe que tinha escrito a tinta branca no vidro de trás: *Let's go Lobos!*

A minha família estava no carro estacionado, à espera. Não havia nada naquele lugar que lhes interessasse. Expliquei-lhes que queria ir ali por causa do livro — este livro. Eles aceitavam essa razão e não faziam mais perguntas. Não sei o que imaginavam acerca daquele lugar inóspito. Não sei o que, através daquele lugar, imaginavam acerca deste livro.

As fachadas dos escritórios eram de vidro espelhado, refletiam o sol com incandescência redobrada, refletiam-me.

A algumas dezenas de metros, passaram três homens a correr em tronco nu. Eram culturistas de grossos peitos rosados, eram americanos a correrem e a falarem — palavras moídas pelas passadas, nuvens de som desfeitas pelo movimento.

Discretamente, encostei o rosto ao vidro da fachada. Com as mãos, protegi os lados da luz. Criei uma pequena mancha escura para encostar a testa. O vidro estava quente. Com dificuldade, consegui distinguir uma sala, talvez uma sala de espera ou de reuniões informais — sofás, garrafas abertas sobre um armário, uma mesa de vidro ao centro, coberta por papéis desarrumados. Uma sala decorada sem emoções, objetos que eram apenas objetos.

Desencostei-me do vidro quando voltaram a passar os três corredores musculados — corte de cabelo militar.

Estava diante do número 3070 da West Post Road, em Las Vegas. Esse era um dos endereços para onde, em Banguecoque, tinham sido enviados os pacotes que continham restos humanos — a cabeça de um bebé, o pé direito de uma criança, pedaços de pele tatuada, um coração humano.

No dia 17 de novembro de 2014, aquela direção foi publicada no jornal tailandês *The Nation* para mim. Quem poderia imaginar que essa referência faria alguém atravessar o mundo e chegar exatamente ali?

De outro escritório, várias portas abaixo, saíram um homem e uma criança de mãos dadas — uma menina loira. Entraram num carro estacionado e foram-se embora.

Quem estaria dentro do número 3070?

Ao lado da porta, estava uma campainha. Dei passos que aumentaram a minha imagem refletida no vidro. O meu olhar entrou pelos meus próprios olhos. Bastou-me um instante. Soube o que queria fazer. Estendi o braço e toquei à campainha.

Coleção Gira

A língua portuguesa não é uma pátria, é um universo que guarda as mais variadas expressões. E foi para reunir esses modos de usar e criar através do português que surgiu a Coleção Gira, dedicada às escritas contemporâneas em nosso idioma em terras não brasileiras.

CURADORIA DE REGINALDO PUJOL FILHO

1. *Morreste-me*, de José Luís Peixoto
2. *Short movies*, de Gonçalo M. Tavares
3. *Animalescos*, de Gonçalo M. Tavares
4. *Índice médio de felicidade*, de David Machado
5. *O torcicologologista, Excelência*, de Gonçalo M. Tavares
6. *A criança em ruínas*, de José Luís Peixoto
7. *A coleção privada de Acácio Nobre*, de Patrícia Portela
8. *Maria dos Canos Serrados*, de Ricardo Adolfo
9. *Não se pode morar nos olhos de um gato*, de Ana Margarida de Carvalho
10. *O alegre canto da perdiz*, de Paulina Chiziane
11. *Nenhum olhar*, de José Luís Peixoto
12. *A Mulher-Sem-Cabeça e o Homem-do-Mau-Olhado*, de Gonçalo M. Tavares
13. *Cinco meninos, cinco ratos*, de Gonçalo M. Tavares
14. *Dias úteis*, de Patrícia Portela
15. *Vamos comprar um poeta*, de Afonso Cruz
16. *O caminho imperfeito*, de José Luís Peixoto

livraria dublinense

A LOJA OFICIAL DA DUBLINENSE E DA NÃO EDITORA

LIVRARIA. **dublinense** .COM.BR

Composto em MINION e impresso na PALLOTTI,
em LUX CREAM 90g/m², em MARÇO de 2020.